体脂肪計タニタの社員食堂
500kcalのまんぷく定食

タニタ

大和書房

食堂の荻野です。

この本をご覧いただけてうれしいです。

タニタ食堂では、代々、栄養士が受け継いでいるレシピで
野菜たっぷり、カロリーと塩分ひかえめの
定食を皆さんにお出ししています。

最初は「味が薄くて慣れない」と利用者のみなさんはおっしゃいますが、
1週間もすると、慣れてしまうそうです。
そして、食材そのものを味わい、美味しいと感じていただけるようです。

私自身も、このタニタ食堂で食事を作り、
みなさんと同じものを食べていたら
お昼の1食分を食べているだけなのに、
知らず知らずのうちに体重が5kg減りました。
薄味に慣れたので、大好物のぬかづけと梅干を食べる量が激減しました。
おいしく食べて、体もすっきりするって幸せです。

本を手にとっていただいたみなさんも、
このレシピを実践されたら、
きっと「気づいたら体が軽くなっていた」と実感できると思います。

今食べているものは、明日の自分のからだを作ります。
今日の私が元気でいられるのは、しっかり食べた私がいるからだと思います。
無理なダイエットではなく、からだにもよいレシピで試してみてください。

この本で紹介しているレシピは、タニタ食堂のメニューから、
食べていただきたいメニュー、人気のメニューを抜粋しました。
すべては紹介できませんが、
これからのみなさんの健康と美味しい食卓の一助になればと思います。

2010年1月　食堂担当　荻野菜々子

Contents

食堂の荻野です。 3
タニタ食堂へ、いらっしゃいませ 7
　タニタ食堂って、どんな食堂? 8
　タニタ社員の常識 11
　実録! タニタ社員がほんとうにやせた! 12
　タニタ的　ヘルシーレシピ調理のコツ 14
　タニタ的　健康と節約のはかり方 15
　タニタ食堂の歴史 16

本日の日替わり定食 17
　この本の見方 18
　no.1　521kcal　根菜とひき肉のしぐれ煮定食 20
　no.2　479kcal　ささみのピカタ定食 22
　no.3　516kcal　さわらの梅蒸し定食 24
　no.4　423kcal　チキンのオリーブオイル焼き定食 26
　no.5　591kcal　鶏肉とピーナッツの炒め物定食 28
　no.6　583kcal　さわらの竜田揚げサラダ風定食 30
　no.7　525kcal　鶏肉のピーナッツバター焼き定食 32
　no.8　530kcal　アスパラと豚肉のオイスターソース炒め定食 34
　no.9　449kcal　鮭の野菜ソース定食 36
　no.10　527kcal　ささみの衣揚げレモンあん定食 38
　no.11　535kcal　ひじきとかぼちゃの焼きコロッケ定食 40
　no.12　420kcal　チキンのごまサルサソース定食 42
　no.13　554kcal　豚肉のビネガー風味定食 44
　no.14　474kcal　鶏肉とレーズンの赤ワイン煮定食 46
　no.15　511kcal　中華風五目煮定食 48
　no.16　555kcal　豚肉の南部焼き定食 50

no.17	444kcal	いかのみそだれ炒め定食	52
no.18	408kcal	バーベキューチキン定食	54
no.19	538kcal	オクラとナスの肉みそ炒め定食	56
no.20	464kcal	鶏肉のなめこおろし煮定食	58
no.21	567kcal	ピーナッツの酢鶏定食	60
no.22	557kcal	ぶりのにんにくしょう油焼き定食	62
no.23	520kcal	鶏肉のしそ焼き定食	64
no.24	411kcal	ささみの照り焼きオニオンソース定食	66
no.25	475kcal	厚揚げのピリ辛きのこあんかけ定食	68
no.26	460kcal	豆腐つくねバーク定食	70
no.27	501kcal	さんまの韓国煮定食	72
no.28	487kcal	さばのみそ煮定食	74
no.29	563kcal	ささみのほうれん草ソース定食	76
no.30	446kcal	タンドリーチキン定食	78
no.31	483kcal	さわらのカッテージチーズ焼き定食	80

ついでに作る大活躍の保存ソース　　　　82

裏メニュー　　　　　　　　　　　　　　　　　　　　　　**83**

512kcal	トマトたっぷりドライカレー	**84**
479kcal	ほうれん草のドライカレー	**85**
547kcal	大豆のドライカレー	**85**
550kcal	夏野菜カレー	**86**
505kcal	鶏むね肉としめじのカレー	**87**
544kcal	アボカドとチーズのカレー	**87**
549kcal	タコライス	**88**
385kcal	豆腐と青菜の辛味丼	**88**
431kcal	鶏の梅風味丼	**89**
462kcal	豆腐のカレー風味丼	**89**
470kcal	豚キムチうどん	**90**
504kcal	ねぎたまきのこうどん	**90**
506kcal	具だくさん冷麺	**91**
525kcal	野菜たっぷりうどん	**91**
53kcal	ミルクポタージュ	**92**
108kcal	カレークリームスープ	**92**
127kcal	ベジタブルチャウダー	**93**
68kcal	ミネストローネ風スープ	**93**

食材使い回しさくいん　　　　　　　　　　　　　　　　**94**
食材分量目安一覧　　　　　　　　　　　　　　　　　　**95**

タニタ食堂へ、
いらっしゃいませ

ようこそ、タニタ食堂へ。
この食堂は普段、タニタの社員のためだけに営業しておりますが、
みなさまにもご試食いただきたく思い、
本日は特別にオープンさせていただきました。
その前に、この食堂がどんな食堂かをお話させていただきます。

タニタ食堂って、どんな食堂?

今年でスタートから11年を迎えたタニタの社員食堂(通称・タニタ食堂)は、
体重計・体脂肪計のタニタが社員の健康維持&増進のために
設けた人気の社員食堂です。

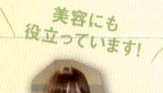

野菜を多く摂れるので、健康にも美容にもいいです。薄味なのに満足感も。料理のレパートリーが広がりました。(宮下真理子・BH事業部・30代)

利用者の目的は、体調管理をしたいという健康目的から、温かい食事をしたいという人までさまざま。共通しているのは、ダイエット効果を期待して利用しているという食堂だということです。

タニタ食堂は、社員食堂にしては珍しく、その食事から得られる効果がテーマづけられています。糖尿病予防の献立の日や、便秘解消の日、カルシウム補給の献立になっているのも魅力の一つ。

食堂を使うようになった人に、何かしらからだの変化がおきているのは、注目すべきポイントです。体重の変化、コレステロール値の変化、体内年齢の変化などに加え、風邪をひかなくなった、などの声も。まさに「食事を変えればからだは変わる!」を実証している食堂です。

ます」「しょうゆやソースなどの調味料を使わなくなった」「弁当と違ってホカホカを食べられるので嬉しい」。中には「外食に慣れているせいか、味が薄く感じる」という意見も。特に男性は、外食や濃い味つけのコンビニ弁当とのギャップに、最初は慣れない人も多いようですが、食堂メニューに慣れるにしたがい、ヘルシー志向になっていくようです。

いつのまにか胃袋もコンパクト

1人分の量について

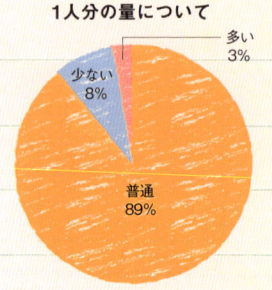

多い 3%
少ない 8%
普通 89%

男性社員の大半は「最初は少ないと感じていた」と回答。ところが食べ続けるうちに、「腹八分目とはこういうことか! とからだで実感できるようになった」など、胃袋サイズが食事の適正量になじんでいくようです。白いごはんが大好きな男性社員も「おかずの量が多いので、ごはんが大盛りでなくても満足できるようになりました」との声も。

もともと薄味が好きで、外食が口に合わなかったのですが、社食の薄味メニューは、大変ありがたく、いつも利用しています。(石野道郎・海外営業部・50代)

薄味でも満足度は大!

味について

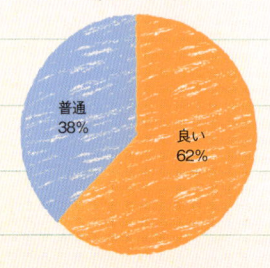

普通 38%
良い 62%

社員からのコメントは、どれも好感度の高いものばかりです。「香味野菜が上手に使われているせいか、薄味でも満足でき

夕食の献立の参考に!

最近、社食レシピを家でも実践したら、「家族からやせたね」と。これからも参考にしたいです。
(長島千恵美・管理本部・20代)

体重維持にはもってこい

30代になったらやせにくい、とか、ウエートコントロールが難しくなるといいますが、体重の維持に大助かりです。
(石川誠・HL事業部・30代)

旬の食材の勉強にも

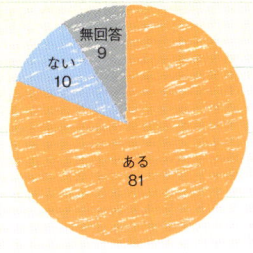

季節感について
ある 81
ない 10
無回答 9

一番多い回答が「旬の野菜や魚が、多く登場していると感じる」という声。「タニタ食堂を利用してから、旬の食材を知り、勉強になっています」という女性社員も。年間のメニューを調べると、魚や果物、香味野菜など、季節を感じられる食材は頻繁に登場しています。

味覚とからだに変化が!

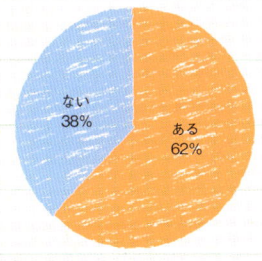

食堂を利用して変わったことは?
ある 62%
ない 38%

タニタ食堂で昼食を食べるようになって、何よりも変わったと感じる一番の項目は「食事をするときに、自然とカロリーチェックをする習慣がついた」ということ。さらに、自分の「味覚」が変わったという意見も多数あります。「自宅での食事も、薄味を好むようになり、塩辛い食事が苦手になった」「外食メニューが油っこく感じるようになった」。また、「苦手だった刺身や生野菜が好きになって驚いた」「野菜が大嫌いだったのに、今では平気」「香味野菜が美味しいと感じるように」など、苦手を克服するのにも一役かっています。さらに、長く続けることで感じる変化のひとつに"胃袋の変化"が!「ごはんを1膳でやめられるようになった。結果、かなり体重も減りました」という答えも。

やっぱり肥満は大敵

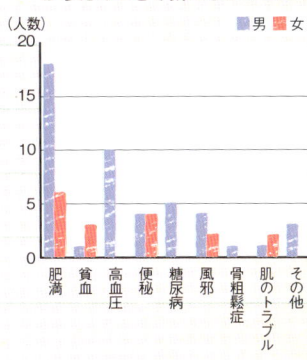

からだのことで気になることは?
(人数) ■男 ■女

タニタ社員だけあって、健康への意識が高い人ばかり。特に最近は、メタボや肥満、高血圧が気になる人など、食堂を利用する社員は増え続けています。男性社員は、高血圧や高コレステロール値の改善を、女性社員の中には、健康やダイエット目的だけでなく、お肌のトラブル改善や便秘解消を期待して利用をスタートしたという人もいます。タニタ食堂は、健康だけでなく体重コントロール、美容にも役立つ食堂なのです。

食事で気をつけていることは？

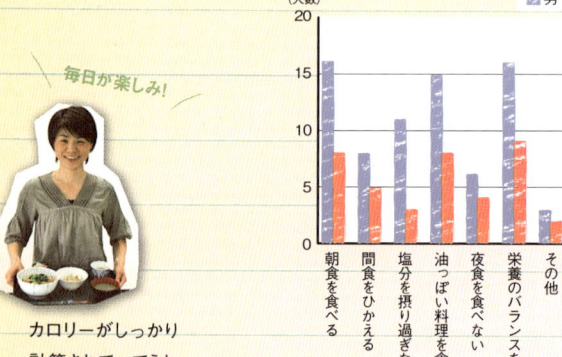

毎日が楽しみ！

カロリーがしっかり計算されていてうれしい。薄味にもすっかり慣れました。季節感たっぷりのランチで、毎日が楽しい！（菅野祐子・国内営業部・30代）

食材の味が堪能できます

濃い味が好きでしたが、薄味に慣れて食材の本当の味を堪能できるように。また、外食ではいつもご飯を残していたのですが、自分でよそうので食べ残しがなくなりました。（大迫直志・技術センター・60代）

タニタ社員は栄養に関しての知識が驚くほど豊富。食べ合わせを社員同士で意見し合えるほど、健康のエキスパート。これは、タニタ食堂の存在も大きいようです。

タニタ社員が日々気をつけていることは「常に栄養のバランスを考えて食事する」こと。また「塩分の摂り過ぎ、油っぽい食事のセーブなど、何事も"過ぎ"ないのが一番」と口をそろえる。朝食を必ず食べるのも特徴の一つ。「スープだけでも、朝食を食べることで、1日の食事リズムが整います」。日々のちょっとした気づかいが健康の秘けつなのです。

Ogino's comment

何よりも満足度を重視！

オープン当初の社食はカロリーと塩分のみ重視したレシピだったため、人気も低かったようです。そこで、健康や栄養だけでなく「満足度」を意識したメニュー作りにシフトしてきました。加工品もできるだけ使わず、色合いや味つけ、季節を感じる献立などを心がけ、肉料理、丼ものも加えました。種類も和洋中だけでなくエスニック系もあります。また、果物やカラフル野菜を添え、食欲をそそる見た目にも気を使っています。また食事で一番重要なのはお米！ ごはんが美味しくないと食事がまずくなるので、社食とはいえお米は美味しいものを使っています。ダイエット効果だけでなく、女性の場合、便秘が解消されたり、ニキビや吹き出物が減るなどの話を聞いています。

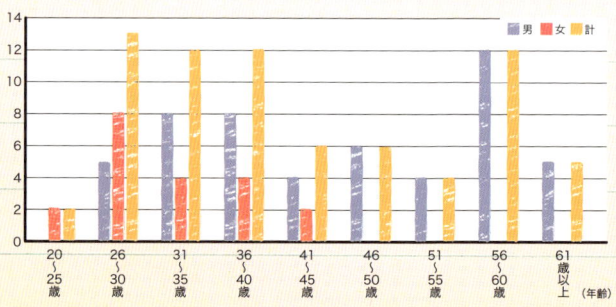

ダイエットに関心の高い20代後半の女性の利用が圧倒的に多い。男性は、年齢を追うごとに、健康への関心の高まりに比例し利用者が増えている。
※レストラン登録社員72名、回答率50.7%

タニタ社員の常識

「健康をはかる」をモットーに掲げるタニタ社員は、
健康意識が高い人や知識が豊富な人ばかり。
毎日の生活の中での、「ちょっとしたこだわり」「さりげないウンチク」が、
美と健康への近道だったのです。
そんな社員さんのコメントの一部をご紹介

ごはんは"軽めに1杯"が基本です

タニタ食堂を利用する際には、必ず周囲の人がこうアドバイスしてくれる。そしてみんな実践している。

会社的に太ってはいけない!?

体脂肪計シェアナンバー1を誇るだけあって、社員がメタボではマズイのではないか、という暗黙の了解があります。

「何を食べても太る」は間違い。原因は「食べ過ぎ」と「運動不足」

これはタニタの誰もが知っている事柄。太る原因は食べ過ぎだけではなく、運動も必要であると誰もが認識しているのです。

食べているだけで自然とやせられる。そんなメニューが理想です?

無理をしないダイエットを目標にし、タニタ食堂を切り盛りしている栄養士の荻野さん。

「健康」と名のつくものに敏感だ

食品はもちろん、グッズやアイテムのほか、生活習慣などなど、健康モノに敏感。人は職業病というが、ほとんどライフスタイルになっている。

コンビニ弁当なら揚げ物はやめて、鮭弁当にしたら?

タニタ社員の大半は「◯◯を食べるなら△△のほうがいい」という、食事の置き換えの法則に詳しい。

社員同士で歩数を競い合っている

タニタの主力商品でもある歩数計。同僚と歩数を競争するのが楽しいし、やる気が出る! もちろん体重計にも毎日乗っています。

実録！タニタ社員がほんとうにやせた！

"食べるだけでヘルシーになれる"。
そんな摩訶不思議なタニタ食堂を利用している社員の中から、
驚くべき変化を遂げた3人（うち1人は経過途中）の声をお届けします。
無理な苦労も苦痛もなく、するりと体重と体調を変えた3人のリアルボイスです。

入社時の抱負はダイエット。1年で15キロ減の超優秀

before **85kg** －21kg after **64kg**

総務部・人事課
水品昌之氏
35歳・170cm

現在の水品さん。

朝：ごはん1膳、納豆、サラダ。
昼：タニタ食堂。
夜：ごはん1/2膳、汁物、刺身、おひたしなど。
スパゲティなど重いものは、朝食べています。夜は胃を休めたほうが調子がいいと、工夫しながら食卓を楽しんでいる。

1人前ってトレーにのる量だったのか！

大学入学までは運動部だった水品さんは「実家も、たくさん食べなさい！　という家だったし、いつもお腹一杯になるまで食べていました」。大学時代は卒業研究のため研究室にこもりっぱなしで運動量も激減。「コンビニ弁当は3人前、パンやカップ麺もつけていました。それが私の1人前だったので……。気づけば20歳で90キロに」。

新入社員としての抱負は「ダイエット」。1年で10キロ減を宣言した。さっそく先輩のすすめで食堂を利用。トレーの上がごはんと汁物、おかず3品だったのを見て、「1人前とはトレーにのる量なのか！」と驚愕。

体重計測もカロリー計算も意外と簡単で楽しい

まずは食べる"量"を見直し、体重を＜はかる＞ことからスタート。朝晩はタニタ食堂のレシピを再現して自炊。油を減らしお菓子をやめ、カロリー計算をスタートしたそう。結果、85キロの体重が1年で15キロ減。現在は64キロ前後を維持。「どれだけ苦しいダイエットをしたの？　と言われますが、まったく苦はありませんでした。毎日体重やカロリーをはかって記録するのは意外に簡単で、数値の変化を見るのが楽しかった」と満足。現在はマラソンも開始し、さらにヘルシーな毎日を続けています。

営業時代に蓄えた体重は、苦もなく9キロ減を実現!

ベストウェイト事業部・部長
内田利典氏
51歳・181cm

before 88kg / -9kg / after 79kg

現在の内田さん。
一日中外出をしていた営業から、現部署に異動になったことで運動量が激減。そこで1日1万歩を目標にウオーキングに励んでいる。

1日1食変えるだけで、驚きの効果

3年前まで営業部に所属していたという内田さん。「仕事柄、決まった時間の食事はできず、昼はほとんど外食。どんぶりや油っこい食事がメインでした」。さらに、夜は大好きな晩酌タイムを堪能。お酒のお供は市販の惣菜が2～3パックと、これまた栄養バランスはガタガタでした。

「部署を異動してから、定時に昼飯が食べられるようになり、食堂利用を始めました。すると不思議とカラダがすっと軽くなったんです。最初はうす味で物足りないなぁと思ったし、消化がいいせいか、3時頃にはお腹が空いてしまうのは困りましたが(笑)」。ところが1年半経った頃には9キロ減に成功。「1日1食だけでも、きちんとした食事をすると体重が正常値に近づくなんて」と驚きを隠しません。97cmだったウエストも今は87cm。順調な様子です。

朝晩の食事制限はまったくナシ! 4カ月で3キロ減という快挙

広報室
冨増俊介氏
36歳・171cm

before 75kg / -3kg / after 72kg

現在の冨増さん。
やはり、大好きなラーメンをひかえることはできず。体調だけは依然好調。食堂のおかげで大嫌いな高野豆腐も食べられるようになった。

うす味のおかずのおかげで、ごはんが減った!

2009年に入社したばかりの冨増さん。「最初は味も具材も物足りなく感じ、『ごはんは軽めの1杯で』という諸先輩のアドバイスも簡単にクリアできました。というのも、おかずがうす味でごはんが進まなかったんです(笑)」。その代わり「ストレスもダイエットの大敵ですからね。我慢はしません」と、夕食は好きなラーメンも焼き肉食べたいだけ食べている。晩酌も毎晩欠かさない。

ところが「体重は変化しませんでしたが、3週目に驚くべき変化が。長年悩まされていた口内炎が消えたんです。病院の先生も驚いていました。食堂のおかげとしか考えられません!」。

結果、食堂利用から4カ月で3キロ減に成功! 「運動ゼロ、暴飲暴食の日々でも3キロ減とは上出来ですね」と嬉しそうに話す冨増さんに、先輩は「あなたに必要なのは、運動と、ラーメンをやめることですよ」と、あきれ顔で指摘。

タニタ的 ヘルシーレシピ調理のコツ

油分と塩分のダウン、うまみアップが「ヘルシーレシピ」の鉄則です。
毎日の調理の中で、簡単にできるコツをお教えします。

トースターで油分カット

この本では、トースター調理でヘルシー＆時短をおすすめしています！

- 上下加熱・1000ワットが目安です。事前の温めは2～3分です。
- クッキングシートは食材が天板にくっつかず取出しが簡単です。大きすぎると焦げることがありますので、天板からはみ出さないサイズにカットしてください。
- 加熱を延長するときや焦げそうなときは、上からアルミホイルをかけてください。

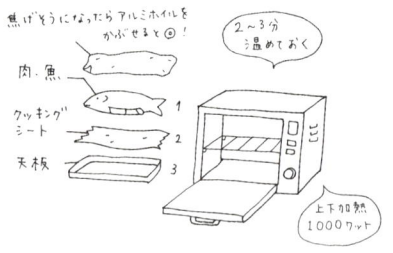

※トースターは機種によって異なりますので、レシピに記載されている時間を目安に加減してください。
※クッキングシートは耐熱性の高いものをおすすめします。
※オーブンを使うときは、肉・魚料理とも230℃で15～20分が目安です。
※ガスコンロのグリルを使うときは、クッキングシートは使わず、お持ちの機種の取扱説明書に従ってください。

低カロリー食材

豆腐などの大豆食品、肉は脂の少ないものを選びましょう。白身魚もぜひ。

- 高野豆腐はタニタ食堂でも頻繁に登場する食材です。低カロリーなのに食べごたえがあり、おすすめ。
- 肉は「ささみ」や「鶏むね肉」など、脂肪分の少ないものを取り入れて、カロリーダウン。
- 肉より魚を使うことで、カロリーが抑えられることも。白身魚などを利用しましょう。

塩分カットのコツ

高血圧やむくみの原因となる塩分は、コクと味のアクセントに工夫を。

- "だし"をしっかりとることで、コクが増し、塩や醤油が少なくてもうま味が増します。
- こしょうや七味唐辛子など、スパイスを使うことで味にアクセントが。塩分も減らせます。
- しそ、みょうが、ねぎなど香味野菜もスパイスと同じく、塩分カットに役立ちます。

油分カットのコツ

カロリーを左右する"油分"は、調理前の一工夫でかなり削減できます！

- 肉は、脂身や皮を取り除き、油揚げ、厚揚げも余分な油分は、キッチンペーパーなどで押さえましょう。
- フライパンはテフロン加工を使用し、油は計量スプーンを使うと取り過ぎ防止に。

満腹感のコツ

タニタ食堂が何よりも重視している満腹感(満足感)を生みだす秘訣はコレ！

- どの料理にも野菜を必ず取り入れ、噛む回数を増やす工夫を。根菜類、ごま、生野菜などで「噛ませる料理」を。
- 満腹感は満足感と同じ。そのためには"目で食べる"ことも大切。色合いや季節感を取り入れて、見た目の楽しさも工夫しましょう。

タニタ的 健康と節約のはかり方

体重や体脂肪だけでなく、「健康をはかる」というのがタニタの理念。
この「健康」を維持するのに欠かせないのが、適度な運動と毎日の食事。
毎日続けることが大切だとタニタの社長・谷田千里氏。
どうしたら習慣化できるのか。「毎日続ける秘訣」を考えてみました。

財布の負担を軽く
それが毎日続ける秘訣！

　この本で紹介しているレシピは、とってもリーズナブル。食材をムダなく違った使い方で、使い切りができるように工夫しています。高価な食材は不要で、毎日違う食材を使わなくてもOK。ほうれん草が高ければ、安い青菜に代用してもいいのです。これが毎日続けられるコツ。タニタは、財布の中身も「はかっている」のです。

材料を使い切ることで
栄養もたっぷり摂取

　材料を使い切ることも節約への第一歩。ムダをなくすと、食材費が抑えられるだけでなく、食材の栄養が高いうちに摂取できる、というオマケもついてきます。
　キャベツが余ったら刻んでみそ汁の具にしたり、切り方を変えて別の料理をつくるのもおすすめです。千切り、みじん切り、丸ごと煮込む……。調理方法によって味も食感も七変化する食材は、タニタ食堂の大黒柱です。

「満足感」こそが
続ける秘訣

　「お腹が一杯で大満足！」。そんな気持ちはダイエットを続けるうえで大切なこと。タニタ食堂のメニューは、彩りや季節感に溢れ、楽しく続ける工夫がなされています。さらにタニタ食堂の献立を食べ終えると、「アゴが疲れた！」と感じるように、野菜をたくさん使うことで咀しゃく回数を増やしています。
　咀しゃくアップ食材は、ごま、コーン、豆などの"つぶつぶ食材"。かいわれ大根、みょうが、しそなど噛むことで香りが出る"香味野菜"。ごぼう、れんこん、だいこんなど繊維質を多く含む"根菜類"。また、きぬさや、ブロッコリーはそのまま食べる『丸ごと野菜』。どれも身近な食材ばかりです。

まずは丸ごとまねして
コツをつかめば自分アレンジ

　まずは、タニタレシピを丸ごとまねしてみましょう。タニタ食堂のレシピには、新しく買い足す調味料や難しい食材はほとんど出てきません。どれも常備野菜や家庭にある調味料で作れるものばかり。丸ごとまねをするうちに、野菜の使い方や咀しゃくアップの方法、栄養バランスのコツが感覚的に身についていきます。きっと、自分でアレンジする楽しさや、料理への興味もぐんぐんとわき上がってくることでしょう！

タニタ食堂の歴史

タニタ食堂は1999年、タニタ本社ビルの1階にあった、小さな社員食堂からスタートしました。
その社員食堂が、今、なぜ注目され始めているのでしょうか。
体重と健康と食事は互いに深く結びついています。
社員の健康を管理するためには、「食」の充実が欠かせなかったのです。

体重だけでなく「健康」をはかる

そもそもタニタは、みなさんもご存じのとおり、ヘルスメーターやクッキングスケールなど、計量計測機器を製造するメーカーです。

つまり、さまざまな＜はかる＞商品を出しているモノ作りの会社です。

研究を重ねるうちに、体脂肪や体組成など、からだに関わる数値をも＜はかる＞ことになりました。そこで着目したのが＜はかる＞と＜健康＞との密接な関係だったのです。

1990年、タニタは本社ビルに栄養や運動の管理指導と研究をおこなう施設「ベストウェイトセンター」を開設。地域住民や肥満解消を希望する方々を会員に迎え、栄養や運動指導とともに、食事の提供を始めました。

センターには、管理栄養士や医師、インストラクターを置き、本格的な食事や運動のアドバイスをおこなっていました。

ブーイングの連続……増え続けた食べ残しの日々

その後、センターで提供する食事を、試験的にタニタ社員にも食べさせる試みがおこなわれました。これがタニタ食堂の前身なのです。

ところが！

当初のメニューは、とにかくカロリー重視の献立だったため、味はうすく量は少ない。日によってはパンとおかず一皿という日もありました。もちろん食べ残しは増え続け、社員からは不満の声ばかりが募りました。

「マズい！」
「まるで病人食みたい！」
「腹が減って仕事にならない！」

その後、世の中のダイエットの定義も変化し、食堂も社員の声を反映させた献立へと改良を重ねました。

「知らないうちにやせていた」が理想のダイエット

現在、栄養管理を担当する荻野さんは「美味しく食べていたら知らないうちにやせた、そんな楽しい減量メニューを目指しています」という、考え方の持ち主。

おいしくてヘルシー。彼女をはじめ、代々タニタ食堂の献立を担当した栄養士のアイデアと愛情がぎっしり詰まったレシピは、美味しさと満足度が高く、無理を感じさせずに体重や体調を改善できることから、利用者も増えています。

本日の
日替わり定食

タニタ食堂は、「日替わり定食」のみをお出ししています。
当店のメニューは、平均500kcalと大変ヘルシーになっております。
高級食材はつかっておりません。
旬のおいしい野菜をたっぷり召し上がってください。

この本の見方

タニタ食堂のプレートは、基本的に5つのメニューで構成されています。
ごはん、汁物、サイドメニューが2品、そしてメイン料理が1皿です。
デザートとして果物がつくことも。

汁物
毎日必ずついてくる汁物は、まんぷく感を得るために欠かせない一品。塩分はひかえめ。

サイド2
サイド2皿目は、和え物や煮物、小さな炒め物、果物などがつきます。

ごはん
1膳。ごはんをはかるはかりが常備。白米と玄米、胚芽米を使っています。

サイド1
メインに負けない存在感を放っているサイドメニュー。野菜中心に、食べ応えを重視。

メイン
お肉や魚、お豆腐などのメインディッシュ。プレート全体で500kcalとは思えないボリュームです。

レシピのこと

- 野菜の「洗う」「皮をむく」「へたを取る」など、下ごしらえは省略しています。
- 野菜の分量は、イメージしやすいようになるべく5cmや1/5本、1束、1枚の表記にしました。食材の分量目安表を95ページに掲載しました。
- 炒め油や揚げ油は「油」と表記していますが、好みでオリーブ油などでもかまいません。

カロリーのこと

定食のカロリーは、ごはんをふつう盛りの160kcalとし、1人分を表記しています。社員食堂では、食材はグラム数でカロリー計算を行っていますが、この本では家庭で使いやすいように、食材の分量表記を簡素化しました。

ふつう盛り
100g
160kcal

大盛り
150g
240kcal

ごはんの種類

	特徴
白米	ぬか層と胚芽をのぞいたもの。
玄米	ぬか層と胚芽あり。ミネラル、食物繊維が豊富。噛みごたえもよい。発芽玄米なら、白米と同じ炊き方が可能。
胚芽米	胚芽のみあり。ビタミンB1、Eが多い。

肉のこと

肉は脂身、鶏肉は皮を取りのぞいて調理します。鶏肉の皮は1人分につき約84kcal、豚もも肉の脂身は、1人分につき約61kcalダウンできます。

だし汁のこと

だし汁は、昆布とかつお節でとります。市販の粉末だしを使う際は、塩分に注意しましょう。また、煮物の時の分量は様子を見て加減してください。

> **だし汁の簡単レシピ**
>
> **水1000ml、昆布10g、かつお節10g**
> 鍋に水と昆布を入れ火にかける。沸騰直前に昆布を取り出し、かつお節を加えすぐに火を消し、ざるかキッチンペーパーでこす。冷蔵保存で2週間。

コンソメスープのこと

市販の顆粒（もしくは固形）のコンソメを、商品の分量どおり、湯などで溶かしてから使います。

中華スープのこと

市販の中華だしの素や鶏ガラスープの素を分量どおりに湯で溶いて使います。コンソメと同様、塩分が高いので、摂り過ぎ防止のためにもきちんと計量しましょう。

ドレッシングとマヨネーズのこと

サラダにはノンオイルタイプの好みのドレッシングを使います。なるべくカロリー、塩分控えめを選んでください。レシピによっては「青じそ」「梅」と限定しています。また、マヨネーズはカロリー半分タイプのものを使用しています。

水溶きかたくり粉のこと

水溶きかたくり粉は、かたくり粉大さじ1に対して水大さじ3。とろみをつけるためなので、料理によって加減しながら加えましょう。

521 kcal
塩分3.5g

社食通信

食べ残しなし。
里いものりまぶしはお酒のお供にも。
青のりの風味が
食欲をそそる。(1/8)

no.1
根菜とひき肉のしぐれ煮定食

ごはん　根菜とひき肉のしぐれ煮　ほうれん草ともやしの和え物　里いものりまぶし　かいわれ大根のすまし汁

里いもには、血圧を下げ、血中コレステロールを取りのぞく効果が。
里いものぬめりは潰瘍予防にもなります。
メインのしぐれ煮は根菜たっぷりでお腹いっぱいに。

根菜とひき肉のしぐれ煮
262kcal　塩分1.4g

材料　2人分

れんこん…80g	ごま油…小さじ1/2
にんじん…4cm	豚ひき肉（赤身）…160g
たけのこ（水煮）…40g	だし汁…100cc
きくらげ…1g	A　酒…大さじ1/2
干ししいたけ…2枚	砂糖…小さじ2
しょうが…少々	みりん…小さじ1
きぬさや…10枚	しょうゆ…大さじ1
糸こんにゃく…40g	

作り方

1. れんこん、にんじん、たけのこは乱切りにして、下ゆでする。きくらげと干ししいたけは、水で戻して千切りにする。しょうがは千切りにする。
2. きぬさやはさっとゆでる。糸こんにゃくはゆでてざく切りにする。
3. 強火の鍋でごま油を熱し、しょうがを炒め、豚ひき肉を加える。肉に火が通ったら、れんこん、にんじん、たけのこを加える。
4. 全体に油が回ったら、糸こんにゃく、きくらげ、干ししいたけ、だし汁、調味料Aを加えて中火で15分ほど煮、煮汁が少なくなったら火を止める。
5. 器に盛り付けてきぬさやを飾る。

 ## ほうれん草ともやしの和え物
28kcal　塩分0.7g

材料　2人分

ほうれん草…1/2束	A　しょうゆ…大さじ1/2
もやし…1/4袋	酢…小さじ1
トマト…1/6個	みりん…小さじ1/3
切り昆布（乾）…4g	ごま油…少々

作り方

1. ほうれん草はゆでて3cm幅に切る。もやしはさっとゆでる。
2. トマトは1cm角に切る。切り昆布は水で戻してざく切りにする。
3. ほうれん草、もやし、トマト、切り昆布を調味料Aで和える。

 ## 里いものりまぶし
59kcal　塩分0.5g

材料　2人分

里いも…2個
だし汁…60cc
A　砂糖…小さじ2/3
　　みりん…小さじ2/3
　　酒…小さじ1
　　しょうゆ…小さじ1
青のり…少々
水溶きかたくり粉…適宜

作り方

1. 里いもは一口大に切る。鍋にだし汁、調味料Aを入れて強火で煮立て、里いもを入れて中火で10〜15分煮る。
2. 里いもに竹串がすっと通ったら火から下ろし、水溶きかたくり粉でとろみをつける。
3. 器に盛り、青のりをまぶす。

 ## かいわれ大根のすまし汁
12kcal　塩分0.9g

材料　2人分

かいわれ大根…1/5パック
だし汁…300cc
麩…2個
塩…少々
しょうゆ…小さじ2/3

作り方

1. かいわれ大根は半分に切り、椀に入れる。
2. 鍋にだし汁を沸かし、塩としょうゆで味をととのえ、麩を入れてさっと煮る。
3. 2を椀にそそぐ。

余ったかいわれ大根は？
汁物の浮き実や煮物、炒め物の飾りにも使えます。

no.2

479kcal
塩分3.1g

ささみのピカタ定食

ごはん　ささみのピカタ　きのこサラダ　わかめのみそ汁　みかん

淡白な鶏のささみも、
卵でふんわり包んだピカタなら満足度も十分。
冷めても美味しくいただけます。
きのこサラダは強火でさっと炒め、
たまねぎを最後に加えれば食感を楽しめます。

社食通信

ささみのピカタは
食べ残しなし！
きのこサラダは嚙みごたえあり。
全体的にさっぱり仕上がった。(1/9)

ささみのピカタ
177kcal　塩分1.0g

材料　2人分

ささみ…4本	溶き卵…1/2個
塩こしょう…少々	塩…少々
ブロッコリー…1/3株	粉チーズ…小さじ2
トマト…1/3個	ケチャップ…小さじ4
小麦粉…小さじ1強	

作り方

1. ささみは筋を取り、塩こしょうをふる。
2. ブロッコリーは小房に分け、熱湯に塩ひとつまみ（分量外）を入れてゆで、ざるにあげて冷ます。トマトはくし形に切る。
3. ささみの両面に小麦粉を薄くまぶす。溶き卵に塩を入れてよく混ぜてささみの両面につけ、粉チーズをふりかける。
4. 温めたオーブントースターにクッキングシートを敷き、ささみを5～8分焼く。
5. 器にトマト、ブロッコリー、焼きあがったささみを盛り、ケチャップをかける。

 ## きのこサラダ
81kcal　塩分0.9g

材料　2人分

えのき茸…1パック	バター…1g
しめじ…1パック	塩こしょう…少々
たまねぎ…1/5個	ドレッシング（おろししょうゆ味）
ベーコン…1枚	…大さじ1
にんじん…2cm	

作り方

1. えのき茸は半分に切ってほぐし、しめじもほぐす。
2. たまねぎは薄くスライスし、水にさっとさらす。ベーコンは1cm幅に切る。にんじんは千切りにする。
3. フライパンにバターを溶かし、中火でベーコンを炒め、にんじん、えのき茸、しめじも加えて塩こしょうで味をととのえ、たまねぎを加えて混ぜる。

 ## わかめのみそ汁
26kcal　塩分1.2g

材料　2人分

乾燥わかめ…2g
長ねぎ…10cm
だし汁…300cc
みそ…小さじ2

作り方

1. わかめは戻して、椀に入れる。長ねぎは小口切りにする。
2. 鍋にだし汁を入れ、沸騰したら長ねぎを入れてさっと煮る。
3. 弱火にしてみそを溶き入れ、椀にそそぐ。

 ## みかん
35kcal　塩分0g

材料　2人分

みかん…2個

使い回しレシピ
余った溶き卵は？

スープに加えて使い切ります。
溶き卵はそのまま冷凍保存が可能です。使うときは、自然解凍してから調理します。

516kcal
塩分3.6g

社食通信

実は簡単なさわらの梅蒸し。
ふっくらとしたさわらが美味しい。
フライパンで蒸すときは湯をはり、
皿にさわらをのせ、ふたをする。(1/22)

no.3

さわらの梅蒸し定食

ごはん　さわらの梅蒸し　カリフラワーと卵のサラダ　白菜とあさりのスープ煮　ほうれん草のみそ汁

全体的に味つけはシンプルに。
カリフラワーはビタミンCが豊富なので、ぜひこの時期に食べて欲しい食材。
あさりの缶詰の汁はうま味があるので
捨てずに使いましょう。
冬が旬のほうれん草で緑黄色野菜も摂取して風邪予防を。

さわらの梅蒸し
206kcal　塩分1.3g

材料　2人分

- さわら…100g×2切れ
- 塩…少々
- 酒…小さじ2
- しょうが…1かけ
- 大葉…2枚
- 長ねぎ…5cm
- もやし…1/3袋
- A　梅干し…大1個
- 　　しょうゆ…小さじ1
- 　　みりん…小さじ1

作り方

1. さわらは塩と酒をふっておく。
2. しょうがと大葉は千切りにし、大葉は水にさらし、ざるにあげる。長ねぎは斜め薄切りにする。もやしはさっとゆでる。
3. 梅干しは果肉をたたいてペースト状にする。
4. 蒸し器にクッキングペーパーを敷き、さわらをのせて、その上にしょうがを散らし、中火で10～15分蒸す。
5. 器にもやしを盛り、さわらをのせ、混ぜ合わせた調味料Aをかけて、大葉、長ねぎをのせる。

カリフラワーと卵のサラダ
77kcal　塩分0.8g

材料　2人分

- カリフラワー…1/3株
- にんじん…2cm
- きゅうり…1/2本
- 塩…少々
- 卵…1/2個
- マヨネーズ…大さじ1
- 粒マスタード…少々
- 塩こしょう…少々

作り方

1. カリフラワーは小房に分けてゆでる。にんじんはいちょう切りにして、さっとゆでる。きゅうりは乱切りにして塩もみする。
2. 卵は固ゆでにして刻む。
3. マヨネーズと粒マスタードをよく混ぜ合わせ、カリフラワー、にんじん、きゅうり、卵を和えて、塩こしょうで味をととのえる。

白菜とあさりのスープ煮
44kcal　塩分0.5g

材料　2人分

- 白菜…1枚
- あさり(水煮缶)…10g
- あさり(水煮缶)の汁…適宜
- 油…小さじ1/2
- 中華スープ…100cc
- 酒…小さじ2
- 塩…少々
- 水溶きかたくり粉…適宜
- ごま油…小さじ1/4

作り方

1. 白菜はざく切りにする。あさりは具と汁を分けておく。
2. 強火の鍋で油を熱し、白菜を炒める。火が通ったら、あさりを加える。
3. 油が全体にまわったら中華スープ、あさりの汁、酒、塩を加えてふたをし、弱火で蒸し煮する。
4. 火が通ったら、水溶きかたくり粉でとろみをつけ、火を止めてごま油をかける。

ほうれん草のみそ汁
29kcal　塩分1.0g

材料　2人分

- ほうれん草…1/5束
- だし汁…300cc
- みそ…小さじ2
- 麩…4個

作り方

1. ほうれん草は3cm幅に切り、さっとゆでて椀に入れる。
2. 鍋にだし汁を沸かし、みそを溶き入れて麩を加え、椀にそそぐ。

no.4

チキンのオリーブオイル焼き定食

ごはん　チキンのオリーブオイル焼き　白菜のサラダ　小松菜の中華炒め　えのき茸のすまし汁

423kcal
塩分3.2g

オリーブ油で焼いたチキンと
チキンのうま味がしみこんだ野菜が美味しいメニューです。
白菜は塩もみすることで、小松菜は火を通すことで
かさが減り、たっぷり食べられます。

社食通信

チキンのオリーブオイル焼きは
バルサミコの酸味が
とても美味しかった。
ソースは煮詰めるのがコツ。(2/19)

チキンのオリーブオイル焼き
170kcal　塩分1.2g

材料　2人分
- 鶏もも肉…90g×2枚
- 塩こしょう…少々
- にんじん…4cm
- たまねぎ…1/4個
- かいわれ大根…少々
- オリーブ油…大さじ1/2
- A
  - だし汁…40cc
  - みりん…小さじ2
  - しょうゆ…小さじ2
  - バルサミコ酢…小さじ1

作り方
1. 鶏もも肉は塩こしょうしておく。
2. にんじんは千切りに、たまねぎは薄切りにする。
3. 温めたオーブントースターにクッキングシートを敷き、2の野菜、オリーブ油をぬった鶏もも肉をのせて、5〜8分焼く。
4. 調味料Aを鍋に入れて煮詰める。
5. 器に3を盛り付け、4のソースをかけてかいわれ大根を散らす。

小松菜の中華炒め
64kcal　塩分0.7g

材料　2人分
- 小松菜…1/3束
- 長ねぎ…5cm
- 豚ひき肉…30g
- 油…小さじ1
- A
  - 中華スープ…30cc
  - 塩こしょう…少々
  - 豆板醤…少々
- 水溶きかたくり粉…適宜

作り方
1. 小松菜は3cm幅に切る。長ねぎは粗みじんに切る。
2. 強火のフライパンで油を熱し、長ねぎ、豚ひき肉の順に炒める。肉に火が通ったら小松菜の茎、葉の順に加える。
3. 調味料Aを加えて、ひと煮立ちしたら火を止めて水溶きかたくり粉を入れる。再度火をつけ、混ぜながらとろみをつける。

白菜のサラダ
15kcal　塩分0.4g

材料　2人分
- 白菜…1.5枚
- きゅうり…1/2本
- トマト…1/4個
- 塩…少々
- ドレッシング…適宜

作り方
1. 白菜ときゅうりは細切りにし、塩でもんでから、水気を絞る。
2. トマトはくし形に切る。
3. 器に盛り、ドレッシングをかける。

えのき茸のすまし汁
14kcal　塩分0.9g

材料　2人分
- えのき茸…1/5パック
- 干ししいたけ…1枚
- 長ねぎ…10cm
- だし汁…300cc
- 塩…少々
- しょうゆ…小さじ1/3

作り方
1. えのき茸は半分に切り、ほぐす。干ししいたけは水で戻して細切りにする。長ねぎは小口切りにする。
2. 鍋にだし汁を沸かし、えのき茸と干ししいたけ、長ねぎを加えてさっと煮る。火が通ったら、塩としょうゆで味をととのえ、椀にそそぐ。

no.5

鶏肉とピーナッツの炒め物定食

ごはん　鶏肉とピーナッツの炒め物　厚揚げの千草焼き　ほうれん草とえのき茸の明太子和え　めかぶのすまし汁

591 kcal
塩分3.1g

ピーナッツの食感が楽しく、美味しい一皿。
大豆にはリジンという必須アミノ酸が含まれています。
厚揚げを使ってかしこく摂取を。
マヨネーズを和えた野菜をのせた厚揚げに、
さっとしゅうゆをかけていただくと晩酌のお供にも♪

社食通信

ピーナッツは炒めてから
加えるとさらに美味しい。
美容にもいいので
女性におすすめ。(2/28)

鶏肉とピーナッツの炒め物
220kcal　塩分1.3g

材料　2人分

- 鶏もも肉…180g
- A　塩こしょう…少々
　　酒…小さじ1
- たけのこ(水煮)…80g
- ピーマン…2個
- 長ねぎ…1/2本
- しょうが…少々
- 油…小さじ1/2
- ピーナッツ…20g
- B　中華スープ…20cc
　　酒…小さじ1
　　塩…少々
　　こしょう…小さじ1/3
　　オイスターソース…小さじ2
　　水溶きかたくり粉…適宜
　　ごま油…小さじ1/4

作り方

1. 鶏もも肉は小さめの一口大に切り、調味料Aで下味をつける。
2. しょうがはみじん切りに、たけのこ、ピーマンは1cm角に、長ねぎは小口切りにする。
3. 強火の鍋で油を熱し、しょうが、鶏もも肉を炒める。火が通ったらピーナッツ、2の野菜を入れ、調味料Bを加えて火を通す。
4. 火を止めて水溶きかたくり粉を入れる。
5. 再度火にかけ、混ぜながらとろみをつけ、ごま油を加える。

厚揚げの千草焼き
176kcal　塩分0.2g

材料　2人分

- 厚揚げ…1枚
- 長ねぎ…1/3本
- にんじん…2cm
- しめじ……1/2パック
- マヨネーズ……大さじ1
- しょうゆ……適宜

作り方

1. 厚揚げは4等分に切る。
2. 長ねぎは縦半分に切り斜め薄切りにする。しめじはほぐす。にんじんは千切りにし、しめじと一緒にさっとゆでる。
3. 2とマヨネーズを和えて、厚揚げの上にのせる。温めたオーブントースターで5分ほど焼き、火が通ったら器に盛る。しょうゆをかけていただく。

ほうれん草とえのき茸の明太子和え
24kcal　塩分0.4g

材料　2人分

- ほうれん草…1/2束
- えのき茸…1/2パック
- 辛子明太子…16g
- A　みりん…小さじ1/2
　　酒…少々

作り方

1. ほうれん草は3cm幅に切り、1〜2分ゆでる。
2. えのき茸は半分に切り、さっとゆでる。
3. 1と2、ほぐした辛子明太子を調味料Aで和える。

めかぶのすまし汁
11kcal　塩分1.2g

材料　2人分

- めかぶ…40g
- 干ししいたけ…1枚
- だし汁…300cc
- 塩…小さじ1/3
- しょうゆ…小さじ1/3
- おろししょうが…少々

作り方

1. めかぶは椀に盛る。干ししいたけは水で戻して薄切りにする。
2. 鍋にだし汁、塩、しょうゆ、干ししいたけを入れてひと煮立ちさせ、仕上げにおろししょうがを加えて椀にそそぐ。

余ったほうれん草、えのき茸は?

さっとゆでて、冷蔵保存が可能です。翌朝のみそ汁の具やおひたしに使うと、調理の時間も手間も省けます。

no.6

さわらの竜田揚げサラダ風定食

ごはん　さわらの竜田揚げサラダ風　豆腐のおかか炒め　もやしのマスタード和え　ごぼうの牛乳みそ汁

583kcal
塩分3.3g

竜田揚げは、ふたをして蒸しながら両面を返して揚げると、油が少量ですみます。
おかか炒めに使う豆腐はしっかり水切りを。
揚げ物の日は、添える野菜やおかずはカロリー、塩分を抑えたものをそろえます。

社食通信

牛乳を使った変わりみそ汁。
牛乳の甘みがあり
寒い時期に
ほっとする味。(3/5)

さわらの竜田揚げサラダ風
262kcal　塩分0.9g

材料　2人分
- さわら…100g×2切れ
- A　しょうゆ…大さじ1/2
- 　　酒…大さじ1/2
- 　　おろししょうが…少々
- キャベツ…1枚
- にんじん…1cm
- だいこん…1cm
- 大葉…2枚
- プチトマト…4個
- かたくり粉…大さじ1
- 揚げ油…適宜
- ドレッシング…適宜

作り方
1. さわらは調味料Aに15分以上つけておく。
2. キャベツ、にんじん、だいこん、大葉はすべて千切りにし、混ぜあわせる。
3. さわらの汁気を軽くふき取り、かたくり粉を薄くまぶし、170℃の油で揚げる。
4. 皿に揚げたさわらと、2の野菜、プチトマトを盛り付け、好みのドレッシングをかける。

豆腐のおかか炒め
81kcal　塩分0.9g

材料　2人分
- 木綿豆腐…1/3丁
- たけのこ(水煮)…20g
- にんじん…2cm
- ちんげん菜…1/5株
- きくらげ…少々
- 溶き卵…1/3個
- 油…小さじ1/2
- 塩…少々
- こしょう…小さじ1/2
- しょうゆ…小さじ1
- かつお節…少々

作り方
1. 木綿豆腐はしっかりと水気を切り(電子レンジで2分程加熱してもよい)、一口大に切る。
2. たけのこ、にんじんは細めの短冊切りに、ちんげん菜は3cm幅に切ってゆで、冷水にさらして水気を絞る。きくらげは水で戻して千切りにする。
3. 強火の鍋で油を熱し、たけのこ、にんじん、きくらげを炒める。火が通ったら木綿豆腐を加えて炒め、塩、こしょう、しょうゆで味をととのえる。溶き卵を回しかけ、卵に火が通るまで炒める。
4. ちんげん菜、かつお節を加えてざっと混ぜ合わせる。

もやしのマスタード和え
15kcal　塩分0.5g

材料　2人分
- もやし…1/3袋
- なめこ…1/2袋
- 万能ねぎ…少々
- A　粒マスタード…小さじ1
- 　　しょうゆ…小さじ1
- 　　酢…小さじ1

作り方
1. もやしはゆでる。なめこはさっとゆでて水気を切る。万能ねぎは小口切りにする。
2. もやし、なめこを調味料Aで和え、万能ねぎを飾る。

ごぼうの牛乳みそ汁
65kcal　塩分1.0g

材料　2人分
- ごぼう…1/5本
- 白菜…1/2枚
- だし汁…200cc
- みそ…小さじ2
- 牛乳…100cc

作り方
1. ごぼうは千切りにし、水にさらしてアクを抜く。白菜は2cm幅に切る。
2. 鍋にだし汁を沸かし、ごぼうと白菜を煮る。
3. 火が通ったらみそを溶き入れ、牛乳を加えて沸騰直前で火を止める。

使い回しレシピ
余ったもやし、なめこは？

スープやみそ汁に使いましょう。
余った野菜は、食べやすい大きさに切っておいて、汁物に入れるのが一番使い回しがしやすいでしょう。

no.1

鶏肉のピーナッツバター焼き定食

玄米　鶏肉のピーナッツバター焼き　ひじきのトマト煮　しらたきと小松菜の和え物　きのこのすまし汁

525kcal
塩分3.5g

ピーナッツバター活用レシピ。
パンにぬるだけで余らせているものを料理に取り入れましょう。
ひじきのトマト煮は、ひじきが洋風の煮物に変身。
定番レシピでは味わえない美味しさです。

社食通信

メインのピーナッツバター焼きは
ピーナッツの香りが◎。
きのこのすまし汁は
たっぷりよそう。(3/18)

鶏肉のピーナッツバター焼き
201kcal　塩分0.9g

材料　2人分

- 鶏もも肉…100g×2枚
- 塩こしょう…少々
- キャベツ…1枚
- オクラ…6本
- ドレッシング(青じそ風味)…適宜
- A ピーナッツバター…大さじ2
- しょうゆ…小さじ1/3
- 酒…大さじ1/2

作り方

1. 鶏もも肉は塩こしょうをふっておく。
2. キャベツは千切りにし、オクラはゆでて冷水にさらして斜め半分に切る。キャベツとオクラはそれぞれドレッシングで和えておく。
3. 温めたオーブントースターにクッキングシートを敷き、鶏もも肉を10〜13分焼き、調味料Aをぬってさらに2分ほど焼く。
4. 鶏もも肉を器に盛り付け、2のキャベツとオクラを添える。

ひじきのトマト煮
128kcal　塩分1.2g

材料　2人分

- ひじき…10g
- ツナ(缶)…20g
- ホールコーン(缶)…40g
- にんにく…1かけ
- オリーブ油…小さじ1/2
- 大豆(水煮)…60g
- ホールトマト(缶)…80g
- A コンソメ粉末…小さじ1/4
- ケチャップ…大さじ1
- 白ワイン…大さじ1
- 塩こしょう…少々

作り方

1. ひじきは水で戻して水気を切る。ツナは油を切り、コーンは水気を切る。にんにくはみじん切りにする。
2. 強火の鍋でオリーブ油を熱し、にんにく、ツナを入れ軽く炒め、ひじき、ゆで大豆を加える。
3. 全体に油が回ったら、つぶしたホールトマト、コーン、調味料Aを加えて中火で煮る。
4. ひと煮立ちさせたら、塩こしょうで味をととのえる。

しらたきと小松菜の和え物
23kcal　塩分0.5g

材料　2人分

- しらたき…70g
- 小松菜…1/4束
- A 砂糖…小さじ2/3
- しょうゆ…小さじ1
- 酢…大さじ1
- 練りからし…小さじ1
- ごま油…小さじ1/4

作り方

1. しらたきはざく切りにし、ゆでて水気を切る。
2. 小松菜は3cm幅に切ってさっとゆで、冷水にさらして水気を切る。
3. 調味料Aでしらたき、小松菜を和える。

きのこのすまし汁
13kcal　塩分0.9g

材料　2人分

- しめじ…1/3パック
- まいたけ…1/5パック
- 万能ねぎ…2本
- だし汁…300cc
- 塩…少々
- しょうゆ…小さじ1/3

作り方

1. しめじとまいたけはほぐす。万能ねぎは小口切りにして椀に入れる。
2. 鍋にだし汁を沸かし、しめじとまいたけを入れて煮る。塩としょうゆを加えて味をととのえ、椀にそそぐ。

no.8

アスパラと豚肉の
オイスターソース炒め定食

ごはん　アスパラと豚肉のオイスターソース炒め　韓国風五色炒め　さつまいもとりんごの重ね煮　ザーサイスープ

炒め物は、アスパラと豚のもも肉を使った中華風の味で、ごはんが進みます。
さつまいもの重ね煮はりんごとヨーグルトの酸味を効かせることで、
まるでデザートのようなスペシャル感。

530kcal
塩分2.7g

社食通信

さつまいもは
女性からのラブコールが多い。
メインのわけぎは
シャキシャキ感が◎。(3/26)

アスパラと豚肉のオイスターソース炒め

184kcal　塩分0.7g

材料　2人分

- アスパラガス…6本
- わけぎ…1/4束
- 豚もも肉（薄切り）…140g
- A 酒…小さじ1
- 　しょうゆ…小さじ1/2
- 　かたくり粉…小さじ1
- 　油…小さじ1/4
- 油…小さじ3/4
- カリフラワー…1/5株
- 酒…小さじ2
- オイスターソース…小さじ2
- こしょう…少々
- レタス…1枚

作り方

1. アスパラガスとわけぎは3cm幅に切る。
2. 豚もも肉は3cm幅に切り、調味料Aにつけ15分ほどおく。カリフラワーは小房に分ける。
3. 強火のフライパンで油を熱し、豚もも肉を炒める。
4. 肉に火が通ったら、アスパラガス、カリフラワー、酒を加え、汁気をとばしながら全体に火を通す。
5. オイスターソース、わけぎとこしょうを加えて炒め合わせる。
6. 一口大にちぎったレタスを器に敷き、4を盛り付ける。

さつまいもとりんごの重ね煮

122kcal　塩分0g

材料　2人分

- さつまいも…120g
- りんご…1/4個
- レーズン…10g
- 砂糖…小さじ2/3
- バター…2g
- 水…適宜
- プレーンヨーグルト…大さじ1

作り方

1. さつまいもは皮ごと1cmの輪切りにして水にさらす。りんごは皮をむき、芯を取りのぞいて3mm厚さのいちょう切りにする。
2. 鍋にさつまいも、りんご、レーズン、砂糖、バター、ひたひたの水を入れ、落としぶたをして強火にかける。
3. 煮立ったら、フツフツするくらいの弱火で10～15分ほど煮る。
4. さつまいもに竹串がすっと通ったら火を止め、プレーンヨーグルトを和える。

韓国風五色炒め

56kcal　塩分0.5g

材料　2人分

- キャベツ…2枚
- にんじん…3cm
- 長ねぎ…1/2本
- 干ししいたけ…1枚
- 春雨…10g
- ごま油…小さじ3/4
- しょうゆ…小さじ1

作り方

1. キャベツはざく切りに、にんじんは短冊切りに、長ねぎは3cm幅にしてから縦に細く切る。干ししいたけは水で戻して薄切りにする。春雨は熱湯で戻し、3cm幅に切る。
2. 強火の鍋でごま油を熱し、にんじん、キャベツを入れて軽く炒め、長ねぎ、しいたけを加える。
3. 全体に火が通ったら春雨を加えて炒め、しょうゆを加えてよく混ぜる。

ザーサイスープ

8kcal　塩分1.5g

材料　2人分

- きくらげ…少々
- ザーサイ…5g
- もやし…1/6袋
- 中華スープ…300cc

作り方

1. きくらげは戻して一口大にちぎる。ザーサイは一口大に切る。
2. 鍋に中華スープを沸かし、きくらげ、ザーサイ、もやしを入れて火を通す。

449kcal
塩分3.6g

社食通信

煮物は味がしみて
ほっとする味。
野菜ソースはシャキシャキで美味。
このソースは鶏肉でもOK。(4/17)

no.9

鮭の野菜ソース定食

ごはん　鮭の野菜ソース　ひじきの煮物　きゅうりとしらす干しの酢の物　えのき茸のスープ

塩分の摂り過ぎを防ぐには、酸味を味方につけましょう。
酸味を使えば、薄味の料理でも満足度が得られますよ。
今日のレシピは、メインにバルサミコ酢、
サイドメニューに酢の物を取り入れた酸味活用レシピです。

鮭の野菜ソース
183kcal　塩分1.3g

材料　2人分

鮭…90g×2切れ	にんにく…少々
塩こしょう…少々	オリーブ油…小さじ1/2
小麦粉…小さじ2	A　しょうゆ…大さじ1/2
ホールトマト(缶)…80g	バルサミコ酢…小さじ1
セロリ(茎)…1/2本	こしょう…少々
たまねぎ…1/4個	乾燥バジル…少々

作り方
1. 鮭に塩こしょうをふり、小麦粉を薄くまぶす。
2. 温めたオーブントースターにクッキングシートを敷き、鮭を10〜15分ほど焼く。
3. ホールトマト、セロリ、たまねぎは、すべて1cm角に切り、にんにくはみじん切りにする。
4. 中火のフライパンでオリーブ油を熱し、にんにくを炒め、香りが出たらたまねぎとセロリを加えて炒める。
5. 全体に火が通ったら、調味料Aを加えてひと煮立ちさせ、つぶしたホールトマトと乾燥バジルを加えて5分ほど煮る。
6. 鮭を皿に盛り、5のソースをかける。

ひじきの煮物
68kcal　塩分0.9g

材料　2人分

ひじき…8g
にんじん…1cm
里いも……2個
だし汁…100cc
A　砂糖…小さじ1
　　酒…小さじ1
　　しょうゆ…大さじ1/2

作り方
1. ひじきは戻し、水気を切る。にんじんは細い短冊切りに、里いもは一口大に切る。
2. 鍋にだし汁と調味料Aを入れて強火で沸かし、ひじき、里いも、にんじんを入れて、火が通るまで10分ほど煮る。

きゅうりとしらす干しの酢の物
24kcal　塩分0.5g

材料　2人分

きゅうり…1本
塩…少々
A　酢…小さじ2
　　砂糖…小さじ1
　　しょうゆ…小さじ1/3
しらす干し…10g

作り方
1. きゅうりは乱切りにして塩もみする。
2. 調味料Aときゅうり、しらす干しを和える。

えのき茸のスープ
14kcal　塩分0.9g

材料　2人分

えのき茸……1/2パック
長ねぎ……5cm
中華スープ……300cc
塩こしょう……少々
ごま油……小さじ1/4

作り方
1. えのき茸は半分に切ってほぐす。長ねぎは千切りにする。
2. 鍋に中華スープを沸かし、えのき茸と長ねぎを煮る。
3. 塩こしょうで味をととのえ、ひと煮立ちさせたらごま油を回し入れる。

使い回しレシピ
余ったえのき茸は？

39ページの「えのき茸の豆乳みそ汁」に使えます。ごぼうがなくても、えのき茸たっぷりの豆乳みそ汁にしても美味しいです。

527kcal
塩分2.4g

no.10

ささみの衣揚げレモンあん定食

玄米　ささみの衣揚げレモンあん　千切り野菜のサラダ　小松菜の煮びたし　えのき茸の豆乳みそ汁

揚げ物にはレモンを使い、他もすりごまや豆乳、プチトマトなど
美容によいメニューがずらり。
ささみの衣揚げは、ふわふわ&しっとりした仕上がりで食べやすい。
ごぼうがたっぷりの豆乳のみそ汁は具だくさんで腹持ちもいい。

社食通信

豆乳のみそ汁は
女性社員に好評。
ささみがふっくらして美味しい。
レモンあんは残しなし。(4/18)

ささみの衣揚げレモンあん
263kcal　塩分0.9g

材料　2人分

- ささみ…4本
- 万能ねぎ…2本
- レタス…1枚
- A　溶き卵…1/3個
　　牛乳…大さじ1
　　小麦粉…大さじ2
- B　だし汁…50cc
　　しょうゆ…大さじ1/2
　　砂糖…小さじ2
　　レモン汁…大さじ2
- 水溶きかたくり粉…適宜
- 揚げ油…適宜

作り方

1. 万能ねぎは2cm幅に切る。レタスは一口大にちぎる。
2. ささみは筋を取りのぞき、Aを混ぜ合たものをまんべんなくつけ、160～170℃の低温の油で焦がさないように揚げる。
3. 鍋に調味料Bを入れて弱火で煮立て、水溶きかたくり粉でとろみをつける。
4. 器にレタス、ささみを盛り、3のレモンあんをかけて万能ねぎを散らす。

小松菜の煮びたし
25kcal　塩分0.8g

材料　2人分

- 小松菜…1/4束
- カリフラワー…1/10株
- 乾燥わかめ…2g
- A　だし(粉末)…少々
　　しょうゆ……大さじ1/2
　　みりん…小さじ2/3
　　すりごま(白)…小さじ2/3
　　砂糖…小さじ1/3

作り方

1. 小松菜は3cm幅に切ってゆで、冷水にさらして水気を切る。カリフラワーは小房に分けてゆでる。
2. わかめは水で戻して水気を切る。
3. 小松菜、カリフラワー、わかめを調味料Aで和え、しばらく味をなじませてから器に盛り付ける。

千切り野菜のサラダ
24kcal　塩分0g

材料　2人分

- きゅうり…1/2本
- キャベツ…2枚
- セロリ…1/5本
- にんじん…3cm
- プチトマト…2個
- ドレッシング…適宜

作り方

1. きゅうり、キャベツは千切りに、セロリは斜め薄切りにする。
2. にんじんは千切りにし、さっとゆでて水気を切る。
3. きゅうり、キャベツ、セロリとにんじんを混ぜ合わせ、器に盛り付ける。
4. プチトマトを飾り、好みのドレッシングをかける。

えのき茸の豆乳みそ汁
55kcal　塩分0.7g

材料　2人分

- えのき茸…1/5パック
- ごぼう…1/6本
- 長ねぎ…5cm
- だし汁…200cc
- みそ…大さじ1/2
- 豆乳…100cc

作り方

1. えのき茸は半分に切ってほぐす。ごぼうは千切りにし、水にさらしてアクを抜く。長ねぎは小口切りにする。
2. 鍋にだし汁を沸かし、ごぼうとえのき茸を入れる。火が通ったら弱火にし、みそを溶き入れる。
3. 豆乳と長ねぎを加えて、フツフツとしてきたら火を止める。

no.11

535kcal
塩分2.2g

ひじきとかぼちゃの焼きコロッケ定食

ごはん　ひじきとかぼちゃの焼きコロッケ　ヤングコーンのサラダ　高野豆腐のスープ　キウイ

コロッケを「揚げ」ずに「焼く」という新発想レシピ。
カロリーが抑えられるうえ、揚げ物が苦手な方でもおいしく、胃に負担なく食べられます。
パン粉が香ばしくサクッとした仕上がり。高野豆腐はコンソメで洋風に。

社食通信

男女ともに、大人気のコロッケ。
もちろん食べ残しなし!
高野豆腐はベーコンのだしが
しみて美味しい。(5/12)

ひじきとかぼちゃの焼きコロッケ　268kcal　塩分1.1g

材料　2人分

- ひじき（乾）…10g
- かぼちゃ…1/10個
- ごま油…小さじ1
- 豚ひき肉…100g
- 塩こしょう…少々
- バター…小さじ1
- パン粉…大さじ5
- サラダ菜…4枚
- ウスターソース…適宜

作り方

1. ひじきは水で戻して水気を切る。かぼちゃは皮をむき、やわらかくなるまで蒸す（ゆでてもよい）。火が通ったらつぶし、あら熱を取っておく。
2. 強火のフライパンでごま油を熱し、豚ひき肉を炒める。肉に火が通ったら、ひじきと塩こしょうを加える。
3. かぼちゃと2をボウルに入れて混ぜ合わせる。
4. 別のフライパンにバターを入れて弱火で熱し、パン粉を加えてきつね色になるまで炒める。
5. 3を小判形に丸め、パン粉を表面にまぶす。温めたオーブントースターにクッキングシートを敷き、10〜15分ほど焼く。
6. 器に盛り付けてサラダ菜を添え、ウスターソースをかける。

ヤングコーンのサラダ　26kcal　塩分0g

材料　2人分

- ヤングコーン…6本
- きゅうり…1/2本
- ピーマン…1個
- レタス…1枚
- にんじん…4cm
- ドレッシング…適宜

作り方

1. ヤングコーンは斜め半分に、きゅうりは千切りに、ピーマン、レタスは細切りに、にんじんはいちょう切りにする。にんじんとピーマンはさっとゆでる。
2. 野菜を混ぜ合わせ、器に盛り付け、好みのドレッシングをかける。

高野豆腐のスープ　58kcal　塩分1.1g

材料　2人分

- 高野豆腐…1枚
- 小松菜…1/10束
- にんじん…3cm
- ベーコン…1枚
- コンソメスープ…300cc
- 塩こしょう…少々

作り方

1. 高野豆腐は水で戻して絞り、2cm幅の短冊切りにする。にんじんは3cm幅の短冊切りに、ベーコンは1cm幅に切る。
2. 小松菜は3cm幅に切ってゆで、水気を絞って椀に盛る。
3. 鍋にコンソメスープを沸かし、にんじん、ベーコンを入れて煮る。さらに高野豆腐を加えてひと煮立ちさせ、椀にそそぐ。

キウイ　23kcal　塩分0g

材料　2人分

- キウイ…1個

使い回しレシピ

余ったかぼちゃは？

92ページの「ミルクポタージュ」のじゃがいもと置き換えてもいいでしょう。じゃがいもとは違った、甘味とコクが楽しめます。

420kcal
塩分3.2g

no.12

チキンのごまサルサソース定食

ごはん　チキンのごまサルサソース　こんにゃくとにんじんの白和え　きゅうりの和え物　もやしのスープ

ごまからカルシウムを摂取。ごまには胃酸を中和し、
胃液の分泌をセーブするカルシウムが豊富です。
白和えは案外簡単にできます。
こちらもすりごまを加えることで、コクとうま味をだしています。

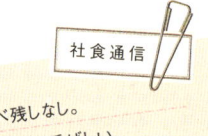

社食通信

食べ残しなし。
チキンはごまが香ばしい。
白和えは
和え衣が濃厚で◎。(5/13)

チキンのごまサルサソース
152kcal　塩分0.7g

材料　2人分

- 鶏もも肉…100g×2枚
- 塩こしょう…少々
- いりごま(白)…大さじ1
- トマト…1/2個
- たまねぎ…1/10個
- レタス…1枚
- A
  - 乾燥パセリ…少々
  - レモン汁…少々
  - タバスコ…少々
  - 塩…少々

作り方

1. 鶏もも肉は、両面に塩こしょうをふり、片面に白ごまをまぶす。
2. トマトは種を取り、粗みじんに切る。たまねぎはみじん切りに、レタスは細切りにする。
3. トマトとたまねぎを調味料Aで混ぜ合わせ、サルサソースを作る。
4. 温めたオーブントースターにクッキングシートを敷き、鶏もも肉を10〜15分ほど焼く。
5. 器にレタスと鶏もも肉を盛り、サルサソースをかける。

きゅうりの和え物
13kcal　塩分0.6g

材料　2人分

- きゅうり…1本
- 乾燥わかめ…少々
- 大葉…2枚
- ドレッシング(梅風味)…大さじ3

作り方

1. きゅうりは縦半分にして、斜め切りにする。わかめは水で戻して水気を切る。大葉は千切りにする。
2. きゅうりと大葉とわかめをドレッシングで和える。

こんにゃくとにんじんの白和え
82kcal　塩分1.0g

材料　2人分

- 木綿豆腐…1/4丁
- 干ししいたけ…2枚
- こんにゃく…1/3枚
- にんじん…1/2本
- きぬさや…6枚
- だし汁…20cc
- A
  - 砂糖…小さじ1/3
  - 塩…少々
  - しょうゆ…小さじ1/3
- しょうゆ…小さじ1
- すりごま(白)…大さじ1/2
- 砂糖…大さじ1

作り方

1. 木綿豆腐はしっかり水切りをしておく。
2. 干ししいたけは水で戻して、細切りにする。こんにゃくとにんじんは短冊切りにして、こんにゃくはゆでてアクを抜く。きぬさやはゆでて、斜め半分に切る。
3. 鍋にだし汁を沸かし、干ししいたけ、こんにゃく、にんじん、調味料Aを入れる。火が通ったら、あら熱を取っておく。
4. 木綿豆腐としょうゆをフードプロセッサーにかけ、なめらかになったらボウルにあけ、すりごまと砂糖を加えて混ぜ合わせる。
5. 3と4を軽く和え、きぬさやを飾る。

Point!
「こんにゃくとにんじんの白和え」で、フードプロセッサーがないときは、少し粗くなりますが、ざるでこしてもOK。すり鉢があれば、すり鉢であたってもなめらかに仕上がります。

もやしのスープ
13kcal　塩分0.9g

材料　2人分

- 大豆もやし…1/6袋
- 長ねぎ…10cm
- 中華スープ…300cc
- 塩こしょう…少々

作り方

1. 長ねぎは縦半分に切って、斜め薄切りにする。
2. 鍋に中華スープを沸かし、大豆もやしと長ねぎを加えさっと煮る。
3. 塩こしょうで味をととのえる。

no.13

豚肉のビネガー風味定食

ごはん　豚肉のビネガー風味　ごぼうとちんげん菜のごま和え　こんにゃくと油揚げの煮物　きのこのすまし汁

554kcal
塩分3.5g

にんにくは焦げやすいので、弱火で香ばしく仕上げるのがコツ。
水で溶けば、汁物や和え物など幅広く使えるスキムミルクは、
余計な乳脂肪分は摂らずにカルシウムを摂れます。
今日はごま和えに使い、コクを出しました。

社食通信

全員完食。
ごぼうやこんにゃくなど
噛む回数の多いレシピ。
ごま和えがピリリと美味。(5/23)

豚肉のビネガー風味
250kcal 塩分1.0g

材料　2人分

豚ロース肉…90g×2枚	にんにく…少々
塩こしょう…少々	レタス…1枚
小麦粉…小さじ2	油…小さじ1/2
溶かしバター…小さじ1/2	ワインビネガー…大さじ1
たまねぎ…1/5個	しょうゆ…小さじ1/2
トマト…1/5個	乾燥パセリ…少々

作り方

1. 豚ロース肉はすじ切りをし、塩こしょうで下味をつけて両面に小麦粉をまぶす。
2. 温めたオーブントースターにクッキングシートを敷き、溶かしバターをぬった豚ロース肉を並べて10～15分焼く。
3. たまねぎは1cm角に切る。トマトは種を取り1cm角に切る。レタスは細切り、にんにくはみじん切りにする。
4. 中火のフライパンで油を熱し、にんにくを炒めて香りが出てきたら、たまねぎ、トマトを加えて炒め、塩こしょうで味をととのえる。
5. ワインビネガーを入れて軽く煮立て、しょうゆを加え、ビネガーソースにする。
6. 器にレタスと豚ロース肉を盛り付け、ビネガーソースをかけ、パセリをふりかける。

ごぼうとちんげん菜のごま和え
101kcal 塩分1.0g

材料　2人分

ごぼう…2/3本	みそ…大さじ1/2
ちんげん菜…1/2株	豆板醤…少々
スキムミルク…大さじ1	しょうゆ…小さじ1/3
だし汁…20cc	すりごま(白)…小さじ2

作り方

1. ごぼうは千切りにし、水にさらしてアクを抜き、さっとゆでる。ちんげん菜は3cm幅に切り、さっとゆでる。
2. スキムミルクをだし汁で溶かし、みそと混ぜ合わせる。さらに豆板醤としょうゆ、すりごまを加え、ごぼうとちんげん菜を和える。

こんにゃくと油揚げの煮物
31kcal 塩分0.5g

材料　2人分

こんにゃく…1/3枚
油揚げ…1/2枚
だし汁…80cc
砂糖…小さじ1
しょうゆ…小さじ1

作り方

1. こんにゃくの両面に格子の切り込みを入れて薄切りにし、ゆでてアク抜きをする。油揚げは短冊切りにし、さっとゆでて油抜きをする。
2. 鍋を強火で熱し、こんにゃくを入れてから炒りし、油揚げ、だし汁を加えて煮立てる。砂糖、しょうゆで味をととのえ、煮汁がなくなるまで中火で煮る。

きのこのすまし汁
12kcal 塩分1.0g

材料　2人分

しめじ…1/5パック
えのき茸…1/10パック
長ねぎ…5cm
だし汁…300cc
塩…少々
しょうゆ…小さじ1/2

作り方

1. しめじはそのままほぐし、えのき茸は半分に切ってほぐす。長ねぎは小口切りにする。
2. 鍋にだし汁を沸かし、しめじ、えのき茸を入れる。火が通ったら塩、しょうゆで味をととのえ、長ねぎを加えて火を止める。

使い回しレシピ

余ったちんげん菜は?

ゆでておけば、翌日におひたしなどに。55ページの「ほうれん草のおひたし」のほうれん草と置き換えてもOK。
ちんげん菜は水分が多いので、しっかり水気を絞るのがポイントです。

474kcal
塩分3.8g

社食通信

やはりレーズンがちらほら残る。
好き嫌いあり。
バター炒めは食べ残しなし。
もずく和えはおつまみにも。(6/10)

no.14

鶏肉とレーズンの赤ワイン煮定食

ごはん　鶏肉とレーズンの赤ワイン煮　アスパラとエリンギのバターしょうゆ炒め　かいわれ大根のもずく和え　だいこんのみそ汁

ビタミンやミネラルが凝縮されているドライフルーツ。
中でもレーズンは鉄分が多く女性におすすめ。
赤ワインで煮込んだ鶏肉はふっくらとやわらかい。
レーズンとオレンジジュースの酸味が効いた大人な味。

鶏肉とレーズンの赤ワイン煮
232kcal　塩分1.3g

材料　2人分
- 鶏もも肉…100g×2枚
- 塩こしょう…少々
- 小麦粉…小さじ2
- トマト…1/4個
- じゃがいも…1個
- オリーブ油…小さじ1
- A　レーズン…10g
- 　　赤ワイン…40cc
- 　　オレンジジュース…40cc
- 　　しょうゆ…小さじ2

作り方
1. 鶏もも肉は塩こしょうをふり、小麦粉を両面につける。トマトはくし切りにする。じゃがいもは一口大に切ってやわらかくなるまでゆでる。
2. 強火のフライパンでオリーブ油を熱し、鶏もも肉の両面に焼き色をつける。
3. 鍋に調味料Aを入れて煮立てる。
4. フライパンに3を加え、強火〜中火で10〜20分煮込む。
5. 鶏もも肉とソースを器に盛り、じゃがいもとトマトを添える。

アスパラとエリンギのバターしょうゆ炒め
43kcal　塩分0.6g

材料　2人分
- アスパラガス…6本
- エリンギ…1/2パック
- たまねぎ…1/4個
- バター…小さじ1/2
- しょうゆ…大さじ1/2

作り方
1. アスパラガスは根元の皮をピーラーでむいてから、3cm幅の斜め切りにする。エリンギは半分にして短冊切りに、たまねぎはスライスする。
2. 強火のフライパンでバターを溶かし、アスパラガス、エリンギ、たまねぎを加えて炒める。
3. 全体に火が通ったら、しょうゆを回し入れてさっと炒める。

かいわれ大根のもずく和え
12kcal　塩分0.9g

材料　2人分
- かいわれ大根…1/5パック
- きゅうり…1/2本
- 味付きもずく…80g

作り方
1. かいわれ大根は半分に切り、きゅうりは千切りにする。
2. かいわれ大根、味付きもずく、きゅうりを混ぜ合わせる。

だいこんのみそ汁
27kcal　塩分1.0g

材料　2人分
- だいこん…1cm
- 長ねぎ…5cm
- だし汁…300cc
- みそ…小さじ2

作り方
1. だいこんはいちょう切りに、長ねぎは小口切りにする。
2. 鍋にだし汁を沸かし、だいこんを入れる。だいこんがやわらかくなったら長ねぎを加え、みそを溶き入れる。

使い回しレシピ
余ったエリンギは？

23ページの「きのこサラダ」に加えても美味しいです。
69ページの「厚揚げのピリ辛きのこあんかけ」に加えたり、えのき茸と置き換えてもOK。

no.15

511kcal
塩分2.5g

中華風五目煮定食

ごはん　中華風五目煮　モロヘイヤサラダ　桜えびのすまし汁　グレープフルーツ

五目煮は、酢を入れることでさっぱりといただけます。
いつもの煮物とちょっぴり違う味を楽しめますよ。
モロヘイヤとオクラは火が通りやすいので、ゆですぎないように注意。
ネバネバパワーで免疫力をアップ！

社食通信

五目煮は意外と簡単。
酢を使ってさっぱりとさせた。
すまし汁は桜えびの
うま味が出た。(6/19)

中華風五目煮

270kcal　塩分1.5g

材料　2人分
厚揚げ…2/3枚
たまねぎ…1/3個
たけのこ(水煮)…30g
にんじん…1/2本
きくらげ…少々
干ししいたけ…1枚
大豆(水煮)…100g
油…小さじ1
A　中華スープ…100cc
　　しょうゆ…大さじ1弱
　　酢…大さじ1
　　酒…小さじ2
　　砂糖…小さじ2
水溶きかたくり粉…適宜

作り方
1. 厚揚げは一口大に切り、湯通しする。
2. たまねぎは粗みじん切りに、たけのことにんじんは乱切りにしてさっとゆでる。
3. きくらげと干ししいたけを水で戻し、きくらげはかたいところを取り小さくちぎり、干ししいたけは千切りにする。
4. 強火の鍋で油を熱し、1、2、3の具材を入れて炒める。全体に油が回ったら調味料Aと大豆を加え、10～15分煮込む。
5. 全体に味がしみたら火を止め、水溶きかたくり粉を入れ、弱火にしてかき混ぜながらとろみをつける。

モロヘイヤサラダ

34kcal　塩分0.1g

材料　2人分
モロヘイヤ…1/2束
オクラ…10本
にんじん…3cm
レタス…1枚
ツナ(缶)…20g
ドレッシング…適宜

作り方
1. モロヘイヤは茎の硬いところは取りのぞき、3cm幅に切り、ゆでる。オクラはゆでて小口切りにする。にんじんは千切りにし、レタスは手でちぎる。
2. ツナは油を切っておく。
3. 全ての材料を混ぜ合わせ、好みのドレッシングをかける。

桜えびのすまし汁

20kcal　塩分0.9g

材料　2人分
桜えび…少々
長ねぎ…1/2本
だし汁…300cc
麩…2個
塩…少々
しょうゆ…小さじ1/3

作り方
1. 桜えびは椀に入れる。長ねぎは小口切りにする。
2. 鍋にだし汁を沸かし、長ねぎと麩を加え、塩、しょうゆで味をととのえ、椀にそそぐ。

グレープフルーツ

27kcal　塩分0g

材料　2人分
グレープフルーツ…1/2個

555kcal
塩分3.6g

社食通信

切干大根の和え物が
さわやかで食べやすい。
トマト煮はくたくたの
キャベツが甘い。(6/30)

no.16

豚肉の南部焼き定食

胚芽米　豚肉の南部焼き　キャベツのトマト煮　切干大根ときゅうりの和え物　干ししいたけと長ねぎのみそ汁

ストレス解消メニュー。
ストレスを感じると大量に失うビタミンB_1を豚肉で補います。
しょうが風味の豚肉を卵でくるんだ南部焼きは男性に人気。
食物繊維たっぷりのサイドメニューは便秘解消にもひと役かってくれます。

豚肉の南部焼き
263kcal　塩分1.3g

材料　2人分

- 豚ロース肉…90g×2枚
- A　溶き卵…1/2個
- 　　おろししょうが…小さじ1
- 　　しょうゆ…小さじ2
- 　　みりん…小さじ1
- いりごま(白)…大さじ1
- オクラ…8本
- しょうゆ…小さじ2/3
- 練りからし…少々

作り方

1. 豚ロース肉はすじ切りをし、調味料Aに30分以上つけ込んでおく。
2. 温めたオーブントースターにオーブンシートを敷き、ごまをふった豚ロース肉を10〜15分焼く。
3. オクラはさっとゆでて小口切りにし、しょうゆと練りからしで和える。
4. 器に豚ロース肉を盛り付け、オクラを飾る。

キャベツのトマト煮
81kcal　塩分0.9g

材料　2人分

- キャベツ…1/10個
- にんじん…4cm
- たまねぎ…1/5個
- ベーコン…1枚
- にんにく…少々
- オリーブ油…小さじ1/4
- ホールトマト(缶)…80g
- 粉末コンソメ…小さじ1/4
- 塩こしょう…少々

作り方

1. キャベツはざく切りに、にんじん、たまねぎ、ベーコンは1cm角の色紙切りにする。にんにくは薄みじん切りにする。
2. 中火の鍋でオリーブ油を熱し、にんにくを炒めて香りを出し、ベーコン、キャベツ、にんじん、たまねぎを加えて炒める。
3. 全体に軽く火が通ったら、つぶしたホールトマトを加える。コンソメ、塩こしょうを加え、野菜がやわらかくなるまで10〜15分煮る。

切干大根ときゅうりの和え物
25kcal　塩分0.4g

材料　2人分

- 切干大根…7g
- きゅうり…1/2本
- 塩昆布…少々
- ドレッシング(青じそ風味)…小さじ1
- 酢…小さじ1

作り方

1. 切干大根は水で戻して水気を絞る。きゅうりは千切りにする。
2. 切干大根、きゅうり、塩昆布をドレッシングと酢で和える。

干ししいたけと長ねぎのみそ汁
26kcal　塩分1.0g

材料　2人分

- 干ししいたけ…1枚
- 長ねぎ…10cm
- だし汁…300cc
- みそ…小さじ2

作り方

1. 干ししいたけは水で戻して細切りにする。長ねぎは小口切りにする。
2. 鍋にだし汁を沸かし、しいたけを入れる。沸騰したら長ねぎを入れてさっと火を通し、みそを溶き入れる。

使い回しレシピ

使いきれない切干大根は？

切干大根は煮物のイメージが強いですが、サラダ(和え物)やみそ汁などの具にもよく合います。水で戻すだけでいいので、切る手間も省ける便利な食材です。

444kcal
塩分1.1g

社食通信

いかのみそだれは大好評。
みょうがは好き嫌いあり。
アーモンド炒めは
野菜の食感を残す。(7/2)

no.17
いかのみそだれ炒め定食
ごはん　いかのみそだれ炒め　小松菜とにんじんのアーモンド炒め　豆腐と梅干しの和え物　しめじのすまし汁

豆腐と梅干しの和え物は食欲がなくてもさっぱりといただけます。
メインのいかは、タンパク質やアミノ酸が豊富なうえ、
脂質や糖質が低く低カロリーな食材。
みょうがやしょうがでさらに食欲増進！

いかのみそだれ炒め

155kcal　塩分2.0g

材料　2人分

するめいか…1ぱい	A　みそ…小さじ2
みょうが…1個	しょうゆ…小さじ2
長ねぎ……1/2本	みりん……小さじ2
ごぼう…1/4本	いりごま(白)…小さじ1
ピーマン…2個	おろししょうが…少々
油…小さじ1	だいこんおろし…2cm分
	青のり…小さじ1

作り方

1. するめいかは、ワタ、骨、皮を取りのぞいて洗う。胴は短冊切りに、足は食べやすい大きさに切る。
2. みょうがは縦半分に切り、斜め薄切りに、長ねぎは斜め薄切りにする。ごぼうは千切りにし水にさらす。ピーマンは細切りにする。
3. 強火のフライパンで油を熱し、いかを炒める。火が通ってきたら野菜を加え、水気を飛ばして調味料Aをからめる。
4. 器に盛り、だいこんおろしと青のりを添える。

小松菜とにんじんのアーモンド炒め

64kcal　塩分0.7g

材料　2人分

小松菜…1/2束	A　酒…小さじ1/2
にんじん…2cm	しょうゆ…大さじ1/2
もやし…1/10袋	中華だし(顆粒)…少々
アーモンドスライス…少々	塩こしょう…少々
油…小さじ1/2	水溶きかたくり粉…適宜

作り方

1. 小松菜は3cm幅に切り、にんじんは短冊切りにする。
2. アーモンドスライスをフライパンに入れ、焦がさないように弱火で炒って、器にあける。
3. 強火のフライパンで油を熱し、にんじん、小松菜、もやしの順に入れて炒める。
4. 全体に火が通ったら調味料Aを入れて、水溶きかたくり粉でとろみをつけ、アーモンドを加える。

豆腐と梅干しの和え物

49kcal　塩分0.3g

材料　2人分

絹ごし豆腐…1/2丁
オクラ…3本
しょうゆ…小さじ1/3
梅干し…1/2個
梅酢…少々(食用酢でも可)

作り方

1. 絹ごし豆腐は水気を切り、半分に切る。
2. オクラはゆでて小口切りにする。梅干しは果肉をたたき、しょうゆと和える。
3. 2と梅酢を混ぜ合わせ、豆腐にかける。

しめじのすまし汁

16kcal　塩分1.1g

材料　2人分

しめじ…1/3パック
長ねぎ…1/3本
だし汁…300cc
塩…少々
しょうゆ…小さじ1/3

作り方

1. しめじはほぐす。長ねぎは小口切りにする。
2. 鍋にだし汁を沸かし、しめじと長ねぎを入れて火を通す。塩としょうゆで味をととのえる。

使い回しレシピ

余った豆腐は？

豆腐はみそ汁などに加えます。
よく水気を切って一口大に切り、小分けにして冷凍し「凍り豆腐」を作るのも便利。煮物などに使えます。

no.18

408kcal
塩分3.5g

バーベキューチキン定食
ごはん　バーベキューチキン　だいこんとツナの炒め物　ほうれん草のおひたし　トマトのみそ汁

スパイスやハーブを存分に使ったメニュー。
チキンのレシピはガッツリ食べたい!気分のときにおすすめの一品。
炒め物はだいこんのシャキシャキ感がカギ。さっと炒めましょう。

社食通信

チキンがすごく美味しかった。
のりのつくだ煮入りの
ほうれん草のおひたしは、
白いごはんに合う。(7/17)

バーベキューチキン

161kcal　塩分1.4g

材料　2人分

鶏もも肉…100g×2枚
A　オリーブ油…小さじ1/2
　　ケチャップ…大さじ1/2
　　赤ワイン…大さじ1/2
　　しょうゆ…小さじ2/3
　　ウスターソース…小さじ2/3
　　レモン汁…小さじ1/2
　　チリペッパー…少々
　　にんにく(みじん切り)…少々
　　オレガノ…少々
　　ナツメグ…少々
きゅうり…1/2本
セロリ…1/2本
たまねぎ…1/6個
にんじん…1cm
B　しょうゆ…小さじ1
　　酢…小さじ1/2
　　オリーブ油…小さじ1/4

作り方

1. 鶏もも肉は調味料Aに30分以上つけておく。
2. 温めたオーブントースターにクッキングシートを敷き、鶏もも肉を10～15分焼く。
3. きゅうりは半月切り、セロリは薄切りに、たまねぎはスライス、にんじんは千切りにする。野菜すべてを調味料Bに20分ほどつけておく。
4. 焼きあがった鶏もも肉を器に盛り付け、3の野菜を添える。

だいこんとツナの炒め物

42kcal　塩分0.7g

材料　2人分

だいこん…5cm　　　　塩こしょう…少々
大葉…2枚　　　　　　しょうゆ…小さじ1/3
ツナ(缶)…40g　　　　酒…小さじ1/2
ごま油…小さじ1/2

作り方

1. だいこんは薄い短冊切りに、大葉は千切りにする。ツナは油を切っておく。
2. 強火のフライパンでごま油を熱し、だいこんを炒める。だいこんが透き通ったら、塩こしょうをし、ツナを加えてさらに炒める。
3. しょうゆ、酒で味をととのえて器に盛り、大葉を飾る。

ほうれん草のおひたし

16kcal　塩分0.4g

材料　2人分

ほうれん草…1/2束　　のりのつくだ煮…小さじ1
しょうゆ…小さじ2/3

作り方

1. ほうれん草は3cm幅に切ってゆで、水にさらして水気を絞る。
2. ほうれん草とのりのつくだ煮を和え、しょうゆで味をととのえる。

トマトのみそ汁

29kcal　塩分1.0g

材料　2人分

トマト…1/4個　　　　みそ…小さじ2
だし汁…300cc

作り方

1. トマトは種を取り除いて2cm角に切り、椀に入れる。
2. 鍋にだし汁を沸かし、みそを溶き入れ、椀にそそぐ。

no.19

538kcal
塩分2.5g

オクラとナスの肉みそ炒め定食

玄米　オクラとナスの肉みそ炒め　ブロッコリーとカリフラワーのサラダ　とろろ汁　スイカ

オクラや長いもなどのネバネバ食品で夏バテ防止。
とろろ汁は食欲のない夏でも食べやすいので、ごはんにかけても◎。
スイカはカリウムを多く含む食材なので、
むくみやすい方は積極的に摂りましょう。

社食通信

食べ残しまったくなし。
季節の果物は積極的に食べたい。
とろろ汁にわさびを
加えたのは正解。(7/29)

オクラとナスの肉みそ炒め

213kcal　塩分1.4g

材料　2人分

- 豚もも肉（薄切り）…160g
- たまねぎ…1/4個
- たけのこ（水煮）…60g
- なす…1本
- オクラ…6本
- しょうが…1/2かけ
- 油…小さじ3/4
- A
  - みそ…小さじ2
  - 砂糖…小さじ1
  - みりん…小さじ1
  - 酒…大さじ1/2
  - しょうゆ…小さじ2/3
  - 塩…少々

作り方

1. 豚もも肉は短冊切りに、たまねぎとたけのこは細切りに、なすは小さめの乱切りにする。オクラはゆでて斜め3等分に切る。しょうがは千切りにする。
2. 強火のフライパンで油を熱し、しょうが、豚もも肉を炒める。肉に火が通ったらたまねぎ、たけのこ、なすを入れて炒める。
3. 調味料Aを加えて炒め合わせ、最後にオクラを加えて軽く炒める。

ブロッコリーとカリフラワーのサラダ

64kcal　塩分0.1g

材料　2人分

- トマト…1個
- ブロッコリー…1/5株
- カリフラワー…1/3株
- ツナ（缶）…20g
- ドレッシング…適宜

作り方

1. トマトは1cm角のサイコロに切り、ブロッコリーとカリフラワーは小房に分けてゆでる。ツナは油を切っておく。
2. ブロッコリーとカリフラワー、ツナを和えて器に盛り、トマトを添える。
3. 好みのドレッシングをかける。

とろろ汁

57kcal　塩分1.0g

材料　2人分

- 長いも…10cm
- 万能ねぎ…2本
- わさび…少々
- だし汁…200cc
- みそ…小さじ2

作り方

1. 長いもは皮をむき、すりおろす。万能ねぎは小口切りにする。
2. すりおろした長いもを椀によそい、わさびをそえる。
3. 鍋にだし汁を沸かし、みそを溶き入れたら火を止め、軽く冷ます。
4. 椀にそそぎ、万能ねぎを散らす。

スイカ

44kcal　塩分0g

材料　2人分

- スイカ…400g

最近は便利なカットスイカを購入する人も増えている。1/8切れの場合、皮を取りのぞいた可食部は約600gが目安。

使い回しレシピ

余ったカリフラワーは？

サラダだけでなく、スープの具材にしても美味しいです。
92ページの「ミルクポタージュ」のじゃがいもと置き換えてもOK。ゆでたカリフラワーをフードプロセッサーなどにかけて、ピューレ状にして使います。

464kcal
塩分3.6g

社食通信

ラタトゥイユはバジルが効いて
香りがよく美味しい。
ズッキーニの代わりの
きゅうりもいけた。(8/3)

no.20

鶏肉のなめこおろし煮定食

ごはん　鶏肉のなめこおろし煮　ラタトゥイユ　小松菜の鮭和え　とろろ昆布のみそ汁

こんがり焼いた鶏肉に、なめことオクラのねばりのある煮汁がからみます。
にんにくに含まれる硫化アリルは、動脈硬化や血栓を防ぐ効果、
毛細血管を広げ血行をうながす効果も期待できます。

鶏肉のなめこおろし煮
159kcal 塩分1.1g

材料 2人分
- 鶏もも肉…100g×2枚
- だいこん…3cm
- オクラ…4本
- なめこ…1/2袋
- 小麦粉…大さじ1

A
- だし汁…50cc
- しょうゆ…小さじ2
- 砂糖…小さじ1
- 酒…小さじ1

作り方
1. 鶏もも肉は両面に小麦粉をつけて、温めたオーブントースターにクッキングシートを敷き、10～15分焼く。
2. だいこんはすりおろす。オクラはゆでて小口切りにする。
3. 鍋に調味料Aを入れて、沸騰したらだいこん、なめこを入れる。
4. 焼きあがった鶏もも肉を3に加えてさっと煮る。
5. 鶏もも肉を器に盛り、3にオクラを加えて混ぜ、鶏もも肉にかける。

ラタトゥイユ
96kcal 塩分1.1g

材料 2人分
- ベーコン…1枚
- きゅうり…1/5本
- なす…1本
- たまねぎ…1/4個
- にんにく…少々
- ホールトマト(缶)…140g
- オリーブ油…小さじ1/2
- 白ワイン…大さじ1
- 粉末コンソメ…小さじ1/2
- ローリエ…適宜
- こしょう…少々
- 乾燥バジル…少々

作り方
1. ベーコン、きゅうり、なすは1cm幅に切り、たまねぎはスライスし、にんにくは薄切りにする。
2. 中火のフライパンでオリーブ油を熱し、にんにくを香りが出るまで炒める。
3. ベーコン、きゅうり、なす、たまねぎを加えて炒め、白ワイン、粉末コンソメ、ローリエ、つぶしたホールトマトを加え、ふたをして煮立つまで強火にかける。
4. 煮立ったら、こしょうとバジルを加えて弱火にし、野菜に火が通るまで煮る。

小松菜の鮭和え
25kcal 塩分0.4g

材料 2人分
- 鮭(水煮)…20g
- 小松菜…1/3束
- 乾燥わかめ…少々
- しょうゆ…小さじ1/2

作り方
1. 鮭はほぐす。小松菜は3cm幅に切ってゆで、冷水にさらして水気を切る。わかめは水で戻しておく。
2. 鮭と小松菜とわかめをしょうゆで和える。

とろろ昆布のみそ汁
24kcal 塩分1.0g

材料 2人分
- とろろ昆布…少々
- 長ねぎ…10cm
- だし汁…300cc
- みそ…小さじ2

作り方
1. とろろ昆布を椀に盛る。長ねぎは小口切りにする。
2. 鍋にだし汁を沸かし、長ねぎを加え、みそを溶き入れ、椀にそそぐ。

使い回しレシピ

余ったとろろ昆布は？

この本では紹介していませんが、タニタ食堂のメニューに、ゆでたブロッコリーととろろ昆布をしょうゆで和えたものがあります。昆布のうま味が美味しい一品です。

567kcal
塩分3.8g

社食通信

食べ残しなし。
酢鶏は人気。
ピーナッツの香ばしさがクセになります。
酢みそ和えは簡単。(8/21)

no.21

ピーナッツの酢鶏定食

ごはん　ピーナッツの酢鶏　たことオクラの酢みそ和え　こんにゃくとおかひじきの煮物　かいわれ大根のスープ

サイドメニューはおかひじきを使った珍しい煮物です。
おかひじきは、海藻のひじきに似ていることから名前がついた食材です。
カルシウムやビタミン、カロチンなどの栄養があり、食感のいい野菜なんですよ。

ピーナッツの酢鶏

313kcal　塩分1.6g

材料　2人分

- ピーナッツ…10粒
- 鶏もも肉…200g
- かたくり粉…小さじ4
- 揚げ油…適宜
- 干ししいたけ…2枚
- パイナップル(缶)…1/2枚
- しょうが…少々
- にんにく…1/2かけ
- 油…小さじ1
- 水溶きかたくり粉…適宜
- レタス…1枚
- A
  - 酒…小さじ1/3
  - しょうゆ…小さじ1/3
  - おろししょうが…少々
- B
  - たまねぎ…1/2個
  - ピーマン…1/2個
  - にんじん…1cm
  - たけのこ(水煮)…40g
- C
  - 酢…大さじ1
  - しょうゆ…小さじ2
  - 砂糖…大さじ1
  - 中華スープ…140cc
  - こしょう…少々

作り方

1. 鶏もも肉は一口大に切り、調味料Aに20分ほどつける。
2. 鶏もも肉にかたくり粉をまぶし、170～180℃の油で揚げる。
3. Bの野菜は小さめの乱切りに、干ししいたけは水で戻して細切りにする。パイナップルは一口大に切り、しょうが、にんにくはみじん切りにする。
4. 中火のフライパンで油を熱し、にんにく、しょうがを炒め、香りが出たら野菜類を加える。
5. 4に調味料Cを加えてひと煮立ちさせ、火を止め水溶きかたくり粉でとろみをつけ、パイナップル、ピーナッツを加える。
6. 皿にレタス、鶏もも肉をのせ、5をかける。

こんにゃくとおかひじきの煮物

15kcal　塩分0.6g

材料　2人分

- こんにゃく…1/2枚
- おかひじき…1/2パック
- だし汁…40cc
- A
  - 酒…小さじ1
  - しょうゆ…大さじ1/2
  - 砂糖…小さじ1/2

作り方

1. こんにゃくは両面に格子に切り込みを入れて一口大に切り、ゆでてアク抜きをする。おかひじきは食べやすい大きさに切る。
2. 鍋にだし汁と調味料A、こんにゃくを入れてふたをし、強火で煮立たせる。
3. 煮立ったら弱火にしてさらに20分ほど煮、おかひじきを加えてひと煮立ちさせる。

かいわれ大根のスープ

18kcal　塩分0.9g

材料　2人分

- ホールコーン(缶)…大さじ1
- かいわれ大根…1/5パック
- 乾燥わかめ…適宜
- コンソメスープ…300cc
- 塩こしょう…少々

作り方

1. かいわれ大根は半分に切る。わかめは戻して水気を切る。
2. 1とコーンを椀に入れる。
3. 鍋にコンソメスープを沸かし、塩こしょうで味をととのえ、椀にそそぐ。

たことオクラの酢みそ和え

61kcal　塩分0.7g

材料　2人分

- ゆでたこ…40g
- オクラ…6本
- わけぎ…1/3束
- A
  - みそ…大さじ1/2
  - みりん…小さじ2/3
  - 砂糖…小さじ1
  - 酒…小さじ1
  - 酢…小さじ1
  - 練りからし…小さじ1

作り方

1. ゆでたこはそぎ切りに、オクラはゆでて斜め切りに、わけぎは3cm幅に切ってさっとゆでる。
2. ゆでたことわけぎ、オクラを調味料Aで和える。

no.22

557kcal
塩分3.1g

ぶりのにんにくしょうゆ焼き定食

胚芽米　ぶりのにんにくしょうゆ焼き　なすと里いもの煮物　モロヘイヤのごま和え　オクラスープ

モロヘイヤは野菜の王様と言われるほど栄養価が高い食材です。
ビタミン、ミネラル、食物繊維なども摂れるので、
茎は硬くて食べられない部分以外はいただきましょう。
中性脂肪を減らす効果も期待できますよ。

社食通信

食べ残しなし。
モロヘイヤのぬめり感が意外に好評!
ぶりはにんにくが効いて
しっかりした味に。(8/27)

ぶりのにんにくしょうゆ焼き

300kcal　塩分1.5g

材料　2人分

ぶり…100g×2切れ
A　しょうゆ…大さじ1
　　みりん…小さじ1
　　酒…大さじ1/2
　　にんにく(スライス)…1かけ
にんじん…2cm
いんげん…4本
もやし…1/5袋
油…小さじ1/2
塩…少々

作り方

1. ぶりは調味料Aに30分ほどつけておく。にんじんは短冊切りに、いんげんは3cm幅に切る。
2. 強火のフライパンで油を熱し、いんげん、にんじん、もやしを炒め、塩で味をととのえる。
3. 温めたオーブントースターにクッキングシートを敷き、ぶりを10〜15分焼く。つけ汁の残りを鍋で煮詰め、ぶりにぬり、さらに5分ほど焼く。
4. 皿にぶりと野菜を盛る。

なすと里いもの煮物

48kcal　塩分0.6g

材料　2人分

なす…1本
里いも…1個
A　みりん…小さじ1
　　しょうゆ…小さじ1
　　だし汁…80cc

作り方

1. なすは大きめの乱切りにし、水にさらしてアクを抜く。里いもは皮をむいて乱切りにする。
2. 鍋に調味料Aを入れて煮立て、里いもを入れる。里いもがやわらかくなったらなすを加えて煮る。

モロヘイヤのごま和え

40kcal　塩分0.4g

材料　2人分

モロヘイヤ…1/2束
ほうれん草…1/4束
にんじん…2cm
A　すりごま(白)…小さじ1
　　砂糖…小さじ1/2
　　しょうゆ…小さじ1

作り方

1. モロヘイヤとほうれん草は3cm幅に切ってゆでる。にんじんは短冊切りにしてさっとゆでる。
2. モロヘイヤとほうれん草とにんじんを調味料Aで和える。

オクラスープ

9kcal　塩分0.9g

材料　2人分

オクラ…2本
長ねぎ…10cm
コンソメスープ…300cc
塩こしょう…少々

作り方

1. オクラはさっとゆでて小口に切り、椀に入れる。
2. 鍋にコンソメスープを沸かし、斜め薄切りにした長ねぎをいれて軽く煮る。
3. 塩こしょうで味をととのえ、椀にそそぐ。

使い回しレシピ

青菜の使い回しについて

青菜は、ほうれん草や小松菜、ちんげん菜などのことで、実は使い回しが可能なのです。
「モロヘイヤのごま和え」のほうれん草はないけど、小松菜が余っているというときは、小松菜を使っても美味しくいただけます。

520kcal
塩分3.5g

no.23

鶏肉のしそ焼き定食

ごはん　鶏肉のしそ焼き　銀杏とたけのこの煮物　ごまよごし　つみれ汁

ふっくらと美味しい鶏もも肉のしそ焼きは、ゆずの皮を和えただいこんを添えることで食欲をそそる一皿に。
注目すべきはカルシウムがギッシリ詰まったいわしのつみれ汁。
骨ごと食べられるつみれは、しょうが入りでくさみもありません。

社食通信

全員完食！
甘辛の鶏肉にしそ風味が◎。
銀杏やゆずで
季節感を出した。(9/2)

鶏肉のしそ焼き
146kcal　塩分1.4g

材料　2人分

- 鶏もも肉…100g×2枚
- 酒…小さじ1
- 大葉…2枚
- だいこん…2cm
- ゆず(皮)…少々
- A　しょうゆ…小さじ2
- 　　みりん…大さじ1/2
- 　　塩…少々
- プチトマト…4個

作り方

1. 鶏もも肉は酒をふりかけておく。大葉は千切りに、だいこんは薄いいちょう切りにして塩もみをする。ゆずの皮は千切りにしてだいこんと和えておく。
2. 温めたオーブントースターにクッキングシートを敷き、鶏もも肉を10分ほど焼く。
3. 鍋に調味料Aを入れて煮詰め、鶏もも肉にぬり、5分ほど焼く。
4. 皿に鶏もも肉をのせて大葉を飾り、ゆずを和えただいこん、プチトマトを添える。

銀杏とたけのこの煮物
108kcal　塩分0.8g

材料　2人分

- 銀杏(ゆで)…20粒
- たけのこ(水煮)…150g
- にんじん…6cm
- 厚揚げ…1/8枚
- いんげん…1本
- だし汁…100cc
- A　砂糖…小さじ1
- 　　しょうゆ…大さじ1/2
- 　　酒…小さじ1

作り方

1. たけのことにんじんは乱切りに、厚揚げは一口大に切って、湯通しする。いんげんは2cm幅に切りさっとゆでる。
2. 鍋にだし汁と調味料Aを入れ、にんじん、たけのこを強火〜中火で5分ほど煮る。やわらかくなったら厚揚げ、銀杏、いんげんを入れて煮る。

ごまよごし
32kcal　塩分0.4g

材料　2人分

- もやし…1/3袋
- きゅうり…1/2本
- ちくわ…1/2本
- A　すりごま(白)…小さじ1
- 　　砂糖…小さじ1/2
- 　　しょうゆ…小さじ2/3

作り方

1. もやしはさっとゆでる。きゅうりは千切りに、ちくわは斜めに薄く切る。
2. 1を調味料Aで和える。

つみれ汁
74kcal　塩分0.9g

材料　2人分

- いわしのすり身…80g
- A　長ねぎ(みじん切り)…5cm
- 　　おろししょうが…小さじ1/2
- 　　溶き卵…1/10個分
- 　　小麦粉…小さじ2
- 　　酒…小さじ1/2
- 　　みそ…少々
- だいこん…2cm
- 長ねぎ…5cm
- だし汁…300cc
- しょうゆ…小さじ1/3
- 塩…少々

作り方

1. だいこんは短冊切りに、長ねぎは小口切りにする。
2. いわしのすり身とAをボウルに入れて混ぜ合わせ、つみれを作る。
3. 鍋にだし汁を沸かし、つみれをスプーンですくって入れる。
4. つみれが浮いてきたらしょうゆと塩で味をととのえ、だいこんと長ねぎを入れて火を通す。

no.24

411kcal
塩分3.5g

ささみの照り焼きオニオンソース定食

ごはん　ささみの照り焼きオニオンソース　だいこんとほたての煮物　なめこのマスタード和え　小松菜とベーコンのスープ

オニオンソースが食欲をそそる照り焼きです。
淡白なささみが主菜のメニューですが、付け合わせの野菜や小鉢に
「噛む」食材を使って、まんぷく感を意識しました。
このボリュームで411kcalはうれしい定食です。

社食通信

マスタード和えが美味しい。
煮物は、ほたてのだしを効かせて
塩分をセーブ。
だいこんにも味がしみて◎。(9/10)

ささみの照り焼きオニオンソース 139kcal 塩分1.0g

材料　2人分

ささみ…4本	ソース	おろしたまねぎ…1/4個分
A　粒こしょう…少々		おろししょうが…小さじ1/2
しょうゆ…小さじ1/3		酢…大さじ1/2
レタス…1枚		しょうゆ…大さじ1/2
きゅうり…1/3本		砂糖…小さじ1/2
トマト…1/4個		みりん…小さじ1
		粒こしょう…少々

作り方

1. ささみは筋を取り、調味料Aで下味をつける。
2. レタスはざく切りに、きゅうりは千切りに、トマトはくし形に切る。
3. 温めたオーブントースターにクッキングシートを敷き、ささみを10〜15分焼く。
4. 鍋にソースの材料を入れて煮詰める。
5. 皿にささみをのせ、ソースをかけ、レタスときゅうり、トマトを添える。

だいこんとほたての煮物 48kcal 塩分0.9g

材料　2人分

だいこん…5cm	A　みりん…小さじ1
にんじん…2cm	しょうゆ…大さじ1/2
きぬさや…6枚	砂糖…小さじ1/2
ほたて貝柱（水煮）…20g	酒…小さじ1
だし汁…60cc	

作り方

1. だいこんは厚めのいちょう切りにしてゆでこぼす。にんじんは乱切りにし、きぬさやはさっとゆでて斜めに切る。
2. 鍋にだし汁を入れて沸かし、だいこん、にんじんを入れ、沸騰したらほたてと調味料Aを入れる。
3. だいこんとにんじんに味がしみるまで中火で10分ほど煮、きぬさやを飾る。

なめこのマスタード和え 17kcal 塩分0.5g

材料　2人分

- なめこ…1袋
- オクラ…4本
- A　粒マスタード…小さじ1
- 　　しょうゆ…小さじ1
- 　　酢…小さじ1/2

作り方

1. なめこはさっとゆでる。オクラはゆでて小口切りにする。
2. 1を調味料Aで和える。

小松菜とベーコンのスープ 47kcal 塩分1.1g

材料　2人分

- 小松菜…1/8束
- ベーコン…1枚
- コンソメスープ…300cc
- 塩こしょう…少々
- ごま油…小さじ1/4

作り方

1. 小松菜は3cm幅に切り、さっとゆでて水気を絞り、椀に盛る。ベーコンは1cm幅に切る。
2. 鍋にコンソメスープを沸かし、ベーコンを入れて塩こしょうで味をととのえる。最後にごま油を加えてから椀にそそぐ。

使い回しレシピ

余ったほたては？

だいこん、にんじん、ほたてをマヨネーズで和えると、ほたてのうま味がきいたサラダに。
「だいこんとほたての煮物」は、ほたての代わりにあさりの水煮を使っても美味しいです。

475kcal
塩分3.5g

no.25

厚揚げのピリ辛きのこあんかけ定食

ごはん　厚揚げのピリ辛きのこあんかけ　ちくわとごぼうの炒め煮　だいこんの甘酢和え　豚肉となめこのスープ

厚揚げは意外とカロリーが高いので、
きのこたっぷりのあんで満足感を。
甘酢和えの果物は、柿に代えても美味しくいただけます。
旬の果物は栄養価が一番高いのでぜひ取り入れて。

社食通信

だいこんと梨の甘酢和えは
好き嫌いあり。
きのこあんかけは見た目の
ボリュームもあり◎。(10/1)

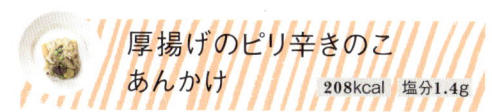

厚揚げのピリ辛きのこあんかけ
208kcal　塩分1.4g

材料　2人分
- 厚揚げ…1枚
- 干しいたけ…3枚
- えのき茸…1/2パック
- たまねぎ…1/4個
- なす…1本
- グリーンピース…適宜
- A
  - しょうが（みじん切り）…小さじ1/2
  - にんにく（みじん切り）…少々
  - 豆板醤…少々
- 油…小さじ1/2
- 中華スープ…160cc
- オイスターソース…大さじ1/2
- みそ…小さじ1
- 水溶きかたくり粉…適宜

作り方
1. 厚揚げは一口大に切って湯通しする。干しいたけは水で戻して薄切りに、えのき茸は半分に切る。たまねぎはスライスし、なすは乱切りにする。
2. 鍋を中火で熱して油をひき、Aを入れて香りを立てる。
3. しいたけ、えのき茸、たまねぎ、なすを加えて炒める。野菜がしんなりしたら中華スープ、オイスターソース、グリンピースを加えて煮立て、最後にみそで味をととのえ、水溶きかたくり粉でとろみをつける。
4. 厚揚げを皿に盛り、3のあんをかける。

だいこんの甘酢和え
26kcal　塩分0.3g

材料　2人分
- 梨…1/6個
- だいこん…3cm
- にんじん…2cm
- 塩…少々
- A
  - 砂糖…小さじ1
  - 酢…小さじ1

作り方
1. 梨は皮をむき、細切りにする。
2. だいこんとにんじんは千切りにし、塩をふってしばらくおいて、しんなりしたら水気を絞る。
3. 調味料Aで、梨とだいこんとにんじんを和える。

ちくわとごぼうの炒め煮
65kcal　塩分0.9g

材料　2人分
- ちくわ…1本
- にんじん…2cm
- ごぼう…1/3本
- こんにゃく…1/4枚
- だし汁…60cc
- A
  - 砂糖…小さじ1
  - しょうゆ…大さじ1/2
  - ごま油…小さじ1/2
- レタス…1枚

作り方
1. ちくわは小口切りに、にんじんは短冊切りにする。ごぼうは千切りにして水にさらしアクを抜く。こんにゃくは短冊切りにしてさっとゆでる。
2. 鍋を強火で熱し、ごま油を入れて、ちくわ、ごぼう、こんにゃく、にんじんを炒める。
3. 全体に火が通ったら、だし汁、調味料Aを入れて中火で煮る。
4. 器にレタスを飾り、3を盛り付ける。

豚肉となめこのスープ
16kcal　塩分0.9g

材料　2人分
- 豚もも肉（薄切り）…10g
- 長ねぎ…5cm
- 中華スープ…300cc
- なめこ…1/2袋
- おろししょうが…小さじ1/2
- 塩こしょう…少々

作り方
1. 豚肉は短冊切りに、長ねぎは小口切りにする。
2. 鍋に中華スープを沸かし、豚もも肉、長ねぎ、なめこを入れて火を通し、塩こしょう、しょうがで味をととのえる。

no.26

豆腐つくねバーグ定食

ごはん　豆腐つくねバーグ　シンプルサラダ　さつま揚げとごぼうの煮物　わかめの中華スープ

460kcal
塩分2.8g

カロリーを抑えられて、ふわりと食感も優しい豆腐ハンバーグは、
ぜひ試していただきたい一品です。
豆腐の水気が残っているとたねが水っぽくなるので、
軽くレンジにかけて水気を飛ばすのも料理のコツです。

社食通信

ハンバーグは豆腐使いで
ボリュームアップ。
ひじき嫌いの人でも
食べられる工夫をした。(10/3)

豆腐つくねバーグ
197kcal　塩分1.0g

材料　2人分

- 鶏ひき肉…100g
- 木綿豆腐…2/3丁
- ひじき…4g
- 溶き卵…1/5個
- 万能ねぎ…2本
- 長ねぎ…3cm
- しょうゆ…小さじ1/2
- A
  - かたくり粉…小さじ1
  - 砂糖…大さじ1/2
  - みりん…小さじ1
  - しょうゆ…小さじ1
  - しょうが汁…小さじ1/2

作り方

1. 木綿豆腐はしっかり水切りをしておく。万能ねぎは小口切りに、長ねぎはしらがねぎにする。
2. 鶏ひき肉、木綿豆腐、水で戻したひじき、溶き卵、万能ねぎ、しょうゆ、かたくり粉を入れてこね、小判形にまとめる。温めたオーブントースターにクッキングシートを敷き、10〜15分ほど焼く。
3. 鍋に調味料Aを入れ、中火にかけて少し煮立てる。
4. 焼きあがったハンバーグを器に盛り付け、しらがねぎをのせ、3のソースをかける。

シンプルサラダ
38kcal　塩分0g

材料　2人分

- レタス…1枚
- にんじん…2cm
- きゅうり…1/2本
- ブロッコリー…1/5株
- ドレッシング…適宜

作り方

1. レタスは一口大にちぎる。にんじんは千切りに、きゅうりは小口切りにする。ブロッコリーは食べやすい大きさに分けてゆでる。
2. 器にレタス、にんじん、きゅうり、ブロッコリーを盛り付け、好みのドレッシングをかける。

さつま揚げとごぼうの煮物
49kcal　塩分0.6g

材料　2人分

- さつま揚げ…10g
- 干しいたけ…1/2枚
- ごぼう…1/2本
- だし汁…80cc
- 砂糖…小さじ1
- 酒…大さじ1/2
- しょうゆ…小さじ2/3

作り方

1. さつま揚げは薄く切る。干しいたけは水で戻して薄切りにする。ごぼうは千切りにし、水にさらしてアクを抜く。
2. 鍋にだし汁、さつま揚げ、ごぼう、しいたけを入れて強火で煮る。
3. 鍋が煮立ったら、砂糖、酒、しょうゆを加えてごぼうがやわらかくなるまで弱火で10分ほど煮る。

わかめの中華スープ
16kcal　塩分1.2g

材料　2人分

- 乾燥わかめ…2g
- いりごま(白)…小さじ1
- 長ねぎ…10cm
- おろししょうが…小さじ1/2
- 中華スープ…300cc
- 酒…小さじ1
- しょうゆ…小さじ1/6
- 塩…少々

作り方

1. 水で戻したわかめとごまを椀に入れる。
2. 長ねぎは斜め薄切りにする。
3. 鍋に中華スープを沸かし、酒、しょうゆ、塩、長ねぎ、おろししょうがを加えてひと煮立ちさせ、椀にそそぐ。

501kcal
塩分3.5g

no.27
さんまの韓国煮定食

ごはん　さんまの韓国煮　春雨のカレー炒め　海藻サラダ　長ねぎのすまし汁

あっさり味の定食の中に、ピリリとスパイシーな
カレー炒めが入ることで、メリハリのついたプレートになりました。
こんにゃくや海藻サラダでスッキリおなかのお掃除を。
旬のさんまもこの季節に食べたい食材です。

社食通信

旬のさんまは安くて美味しい。
脂がのっているので
油を使わずに焼いて
煮汁をかけた。(10/22)

さんまの韓国煮

243kcal　塩分1.1g

材料　2人分

- さんま(三枚おろし)…1尾分
- 焼き豆腐…1/2丁
- 長ねぎ…5cm
- にら…1/2束
- にんにく…少々
- しょうが…少々
- A
  - だし汁…100cc
  - しょうゆ…大さじ1/2
  - 砂糖…小さじ1
  - みりん…大さじ1/2
  - コチュジャン…小さじ2/3
  - 酒…小さじ1

作り方

1. 焼き豆腐は一口大に切る。長ねぎはしらがねぎに、にらは3cm幅に切りさっとゆでる。にんにくはみじん切りに、しょうがは千切りにする。
2. さんまは1枚(半身)を半分の長さに切り、温めたオーブントースターにクッキングシートを敷き、10〜15分ほど焼く。
3. 鍋に調味料Aとにんにく、しょうがを入れて強火で煮立てる。
4. 焼き豆腐を加えて10分ほど煮、豆腐に味をしみ込ませる。
5. 器に、さんま、焼き豆腐、にらを盛り付け、しらがねぎを添えて煮汁をかける。

春雨のカレー炒め

75kcal　塩分0.8g

材料　2人分

- 春雨…10g
- キャベツ…2枚
- にんじん…2cm
- いんげん…4本
- ホールコーン(缶)…1/3カップ
- カレー粉…小さじ1/2
- めんつゆ(3倍濃縮)…大さじ1
- 油…小さじ1/2

作り方

1. 春雨は1分ほどゆで、水気を切ってざく切りにする。キャベツはざく切りに、にんじんは千切りに、いんげんは3cm幅に切る。
2. カレー粉とめんつゆを混ぜる。
3. 強火のフライパンで油を熱し、キャベツとにんじんを炒める。いんげん、コーンを加え、2の調味料、春雨を加えて炒め合わせる。

海藻サラダ

10kcal　塩分0.6g

材料　2人分

- 海藻ミックス…2g
- レタス…3枚
- ドレッシング(青じそ風味)…小さじ2

作り方

1. 海藻ミックスは水で戻して水気を切る。レタスは一口大にちぎる。
2. 海藻とレタスを混ぜ合わせ、ドレッシングで和える。

長ねぎのすまし汁

13kcal　塩分1.0g

材料　2人分

- 長ねぎ…1/2本
- こんにゃく…1/10枚
- だし汁…300cc
- 塩…小さじ2/3
- しょうゆ…少々

作り方

1. 長ねぎは小口切りにする。こんにゃくは短冊切りにし、さっとゆでてアクを抜く。
2. 鍋にだし汁を沸かし、長ねぎ、こんにゃくを入れて煮立て、塩、しょうゆで味をととのえる。

使い回しレシピ

余ったこんにゃくは？

69ページの「ちくわとごぼうの炒め煮」でも使えます。

みそ田楽は簡単に作れ、ヘルシーな酒のつまみとしても活躍します。

no.28

さばのみそ煮定食

玄米　さばのみそ煮　ミックス野菜の炒め物　きゅうりの浅漬け　しめじとめかぶのすまし汁

487kcal
塩分3.9g

青魚が苦手な方でもぺろりと食べられる、さばのみそ煮。
ぜひこの季節は秋さばを堪能しましょう。
魚はしょうがとみそでくさみが取れます。
こってりしたお料理の付け合わせには、さっぱりした浅漬けと汁物を。

社食通信

みそ煮はしらがねぎが
よく合って、美味しい。
ほかのメニューは
塩分控えめでさっぱり。(11/19)

さばのみそ煮

227kcal　塩分1.6g

材料　2人分
- さば…90g×2切れ
- しょうが…少々
- 長ねぎ…10cm
- A
  - 酒…大さじ1/2
  - 砂糖…小さじ2
  - みりん…小さじ1/3
  - 水…適宜
  - みそ…大さじ1

作り方
1. しょうがはスライスする。長ねぎはしらがねぎにする。
2. 鍋に調味料Aとしょうがを入れて強火にかけ、ひと煮立ちさせる。
3. さばを加え、水をひたひたになるまで入れて落としぶたをし、10〜15分煮る。
4. さばに火が通ったらみそを入れて煮含める。
5. 器にさばを盛り付け、煮汁をかけ、しらがねぎを散らす。

ミックス野菜の炒め物

78kcal　塩分1.0g

材料　2人分
- 鶏ひき肉…40g
- にんじん…4cm
- ピーマン…1個
- ヤングコーン…6本
- カリフラワー…1/6株
- 油…小さじ1
- 塩こしょう…少々
- しょうゆ…大さじ1/2

作り方
1. にんじん、ピーマンは短冊切りに、ヤングコーンは斜め1/2に切る。カリフラワーは小房に分ける。
2. 強火のフライパンで油を熱し、鶏ひき肉をぽろぽろになるまで炒める。
3. 肉に火が通ったら、にんじん、ピーマン、カリフラワー、ヤングコーンを加えて強火で炒める。
4. 塩こしょうで味をととのえ、しょうゆを回し入れる。

きゅうりの浅漬け

12kcal　塩分0.4g

材料　2人分
- きゅうり…1本
- 塩…少々
- めんつゆ…小さじ1
- かつお節…少々

作り方
1. きゅうりは縦半分にし、斜め薄切りにして塩もみをし、水気を絞る。
2. 1をめんつゆ、かつお節で和える。

しめじとめかぶのすまし汁

10kcal　塩分0.9g

材料　2人分
- しめじ…1/5パック
- めかぶ…20g
- だし汁…300cc
- 塩…少々
- しょうゆ…小さじ1/3

作り方
1. しめじはほぐす。めかぶは椀に入れる。
2. 鍋にだし汁を沸かし、しめじを入れて煮る。
3. 塩としょうゆを加えて味をととのえ、椀にそそぐ。

使い回しレシピ

余ったにんにくやしょうがは？

買ってきたら、すぐにスライスやみじん切りにし、小分けにして冷凍保存します。
使いたいときにすぐ使え、余らせることもないので、冷凍保存はおすすめです。

563kcal
塩分2.8g

社食通信

ほうれん草のソースは
色合いも味も良く全員完食。
豆は好き嫌いあり。
女性には好評。(11/27)

no.29

ささみのほうれん草ソース定食

ごはん　ささみのほうれん草ソース　ごぼうとにんじんのサラダ　豆のレモン煮　ハーブスープ

忙しい日こそ食事は抜かず、短時間で作れる献立を活用しましょう。
食事を抜くとやせにくいカラダになります。
簡単なスープでも乾燥ハーブを使えばグッと本格派の味に。
豆のレモン煮は、煮込んだ後冷ますことで味がしみ込みます。

ささみのほうれん草ソース

174kcal　塩分1.0g

材料　2人分
- ささみ…4本
- 塩こしょう…少々
- ほうれん草…1/3束
- たまねぎ…1/10個
- プチトマト…2個
- バター…小さじ1/2
- 小麦粉…小さじ2
- 牛乳…1/2カップ
- 粉末コンソメ…小さじ1/4

作り方
1. ささみは筋を取り、塩こしょうで下味をつける。ほうれん草はさっとゆでてみじん切りにする。たまねぎはみじん切りに、プチトマトは半分に切る。
2. 温めたオーブントースターにクッキングシートを敷き、ささみを10〜15分ほど焼く。
3. 鍋にバターを溶かし、たまねぎを中火で炒め、少しずつ小麦粉を加えて中火〜弱火で炒める。牛乳を少しずつ加えながら、だまにならないよう注意しながら混ぜる。塩こしょう、コンソメ、ほうれん草を加えソースを作る。
4. 皿にささみを盛り付け、ソースをかけ、プチトマトを飾る。

ごぼうとにんじんのサラダ

125kcal　塩分0.4g

材料　2人分
- ごぼう…1本
- にんじん…4cm
- 乾燥パセリ…少々
- 油…小さじ1/4
- ドレッシング（シーザー風味）…大さじ2

作り方
1. ごぼうとにんじんは千切りにする。
2. 強火のフライパンで油を熱し、ごぼうとにんじんを火が通るまで炒める。
3. ドレッシングと乾燥パセリを入れて和え、冷ます。

豆のレモン煮

78kcal　塩分0.4g

材料　2人分
- ミックスビーンズ（水煮）…80g
- 砂糖…小さじ2
- 塩…少々
- レモンの輪切り…2切れ
- レモン汁…小さじ1
- 水…適宜

作り方
1. レモンはいちょう切りにする。
2. 鍋に、豆がかぶるくらいの水を入れ、砂糖、塩、レモンを入れて落としぶたをし、弱火で煮る。
3. 豆がやわらかくなったら、レモン汁を加える。

ハーブスープ

26kcal　塩分1.0g

材料　2人分
- ウインナー…1本
- たまねぎ…1/6個
- コンソメスープ…300cc
- 粉末タイム…少々
- 粉末ローズマリー…少々
- 塩こしょう…少々

作り方
1. ウインナーは小口切りに、たまねぎはスライスする。
2. 鍋にコンソメスープを沸かし、ウインナーとたまねぎ、タイム、ローズマリーを加える。
3. 具材に火が通ったら、塩こしょうで味をととのえる。

使い回しレシピ

余ったミックスビーンズは？

85ページの「大豆のドライカレー」の大豆の代わりになります。ミックスビーンズはカラフルなので、みじん切りせずにそのまま加えたほうが、見た目も楽しめます。

no.30

タンドリーチキン定食

胚芽米　タンドリーチキン　高野豆腐とこんにゃくの煮物　白菜の浅漬け　豚肉のコンソメスープ

カレー風味のしっかりした味つけのタンドリーチキンで、
サイドメニューはローカロリーな和風テイスト。
このバランスがヘルシーレシピの特徴です。
誰もが美味しいと口を揃えて絶賛したタンドリーチキンは、
スパイシーでクセになります。
漬け込むだけの簡単レシピなのでお試しを。

446kcal
塩分3.8g

社食通信

スパイシーなタンドリーチキンは
キャベツの千切りと好相性。
煮物で根菜と
良質タンパク質を。(12/4)

タンドリーチキン

168kcal　塩分1.2g

材料　2人分

- 鶏もも肉…100g×2枚
- A　プレーンヨーグルト…大さじ3
- 　　ケチャップ…大さじ1
- 　　しょうゆ…大さじ1/2
- 　　おろしにんにく…少々
- 　　こしょう…少々
- 　　コリアンダー…少々
- 　　カレー粉…小さじ1/2
- 　　粉末コンソメ…少々
- キャベツ…1枚
- かいわれ大根…1/5パック
- パン粉…大さじ3
- 乾燥パセリ…少々

作り方

1. 鶏もも肉は調味料Aに3時間以上つけておく。キャベツは千切りに、かいわれ大根は半分に切る。
2. 鶏もも肉にパン粉をまぶし、温めたオーブントースターにクッキングシートを敷き、10〜15分焼く。
3. 皿に鶏もも肉を盛り付け、パセリをふりかけ、キャベツとかいわれ大根を混ぜて添える。

高野豆腐とこんにゃくの煮物

90kcal　塩分1.3g

材料　2人分

- 高野豆腐…1枚
- こんにゃく…1/6枚
- にんじん…4cm
- れんこん…2cm
- だし汁…200cc
- A　砂糖…小さじ1
- 　　酒…小さじ1
- 　　塩…少々
- 　　しょうゆ…大さじ1/2

作り方

1. 高野豆腐は水で戻して絞り、短冊に切る。こんにゃくは短冊切りにし、ゆでてアクを抜く。にんじんはいちょう切りに、れんこんは乱切りにする。
2. 鍋にだし汁と調味料Aを入れて、強火で沸かし、高野豆腐、こんにゃく、にんじん、れんこんを入れて10〜15分煮る。

白菜の浅漬け

11kcal　塩分0.4g

材料　2人分

- 白菜…1/2枚
- きゅうり…1/5本
- 塩…少々
- めんつゆ（3倍濃縮）…小さじ1

作り方

1. 白菜は4cm幅に切ってから千切りにする。きゅうりは千切りにし、白菜と塩もみし、水気を絞る。
2. 白菜ときゅうりをめんつゆで和える。

豚肉のコンソメスープ

17kcal　塩分0.9g

材料　2人分

- 豚ロース肉（薄切り）…10g
- 長ねぎ…5cm
- 小松菜…1/10束
- コンソメスープ…300cc
- 塩こしょう…少々

作り方

1. 豚肉は1cm幅に切る。長ねぎは縦半分に切って斜め薄切りにする。小松菜は3cm幅に切り、さっとゆでて水気を絞り、椀に入れる。
2. 鍋にコンソメスープを沸かし、長ねぎと豚肉を入れて火を通す。
3. 塩こしょうで味をととのえ、椀にそそぐ。

使い回しレシピ

余った白菜は？

白菜はサラダにもスープにも、炒め物にも使える便利な食材です。
94ページの「使い回しさくいん」を参考にしましょう。

483kcal
塩分3.4g

no.31

さわらのカッテージチーズ焼き定食

ごはん　さわらのカッテージチーズ焼き　しらたきのビーフン風炒め　ちんげん菜と厚揚げの中華和え　えのき茸と白菜のさっぱりスープ

とろけるチーズの代わりにカッテージチーズを使ったメニュー。
一口食べれば、その美味しさに驚くはず!
スープは酢を加えることでさっぱりと仕上げました。

社食通信

カロリーダウンのために
カッテージチーズを使った。
とても美味しく仕上がり、
食べ残しなし。(12/11)

さわらのカッテージチーズ焼き
221kcal　塩分1.2g

材料　2人分

- さわら…90g×2切れ
- 塩こしょう…少々
- 万能ねぎ…2本
- にんじん…2cm
- もやし…1/2袋
- A　カッテージチーズ…大さじ5
- 　　しょうゆ…小さじ2/3
- 　　油…小さじ1/2
- 　　塩こしょう…少々

作り方

1. さわらは塩こしょうをふる。万能ねぎは小口切りに、にんじんは細切りにする。
2. Aに万能ねぎを混ぜ、さわらにのせる。温めたオーブントースターにクッキングシートを敷き、10〜15分焼く。
3. 強火のフライパンで油を熱し、もやしとにんじんをさっと炒め、塩こしょうで味をととのえる。
4. 皿にさわらと3を盛り付ける。

しらたきのビーフン風炒め
52kcal　塩分1.0g

材料　2人分

- しらたき…1/4袋
- 干ししいたけ…1枚
- にんじん…4cm
- たけのこ（水煮）…40g
- ヤングコーン…8本
- 油…小さじ1/2
- A　しいたけの戻し汁…10cc
- 　　オイスターソース…小さじ1
- 　　しょうゆ…大さじ1/2
- 　　砂糖…小さじ1/2
- 　　酒…小さじ1
- 　　桜えび…少々

作り方

1. しらたきはざく切りにしてさっとゆでる。干ししいたけは水で戻して細切りにする（戻し汁はとっておく）。にんじん、たけのこは細めの短冊切りに、ヤングコーンは斜めに切る。
2. 中火の鍋で油を熱し、しらたきを水分を飛ばすように炒める。
3. 干ししいたけ、にんじん、たけのこ、ヤングコーンを加えて炒め、調味料Aを加えて炒め煮する。火を止めて桜えびを加える。

ちんげん菜と厚揚げの中華和え
41kcal　塩分0.3g

材料　2人分

- ちんげん菜…1株
- 厚揚げ…1/10枚
- しょうが…少々
- ドレッシング（中華風味）…大さじ1

作り方

1. ちんげん菜は3cm幅に切ってゆでる。しょうがは千切りにする。厚揚げは一口大に切って湯通しする。
2. ドレッシングで和える。

えのき茸と白菜のさっぱりスープ
9kcal　塩分0.9g

材料　2人分

- えのき茸…1/5パック
- 白菜…1/3枚
- 中華スープ…300cc
- A　こしょう…少々
- 　　酢…小さじ1
- 　　しょうゆ…小さじ1/3

作り方

1. えのき茸は半分に切ってほぐす。白菜は4cm幅に切る。
2. 鍋に中華スープを沸かし、白菜とえのき茸を入れて煮る。調味料Aで味をととのえる。

使い回しレシピ
余ったカッテージチーズは？

カッテージチーズは買うものと思っていませんか？　実は牛乳で簡単に作ることができます。温めた牛乳200ccに酢（またはレモン汁）大さじ1を加える。分離しはじめたら、キッチンペーパーでこしてできあがり。

水分（乳清・ホエー）はカレーなどに入れるといいでしょう。

ついでに作る 大活躍の保存ソース

オニオンソース

焼いた肉や魚にかけても美味しい万能ソース

材料
- おろしたまねぎ…1個分
- おろししょうが…大さじ1
- 酢…大さじ2
- しょうゆ…大さじ2
- 砂糖…大さじ1
- みりん…大さじ1
- 粒こしょう…少々

作り方
1. おろしたまねぎ、おろししょうがに酢、しょうゆ、みりんを合わせ、砂糖を加えてよく混ぜ合わせる。
2. 鍋に入れて、さっと煮詰める。最後に粒こしょうを加えて味をととのえる。

ほうれん草ソース

コクがあるので、淡白な魚やささみ料理に合わせてみて

材料
- ほうれん草…1束
- たまねぎ…1/4個
- バター…大さじ1/2
- 粉末コンソメ…小さじ3/4
- 小麦粉…大さじ2
- 牛乳…1.5カップ
- 塩こしょう…少々

作り方
1. ほうれん草はさっとゆでてみじん切りに。
2. 弱火の鍋でバターを溶かし、みじん切りにしたたまねぎを入れ中火で炒める。
3. たまねぎが透明になったら、小麦粉を少量ずつ加えて中火～弱火で焦がさないように炒める。
4. 牛乳を少しずつ加え、小麦粉がだまにならないよう混ぜる。
5. 塩こしょう、コンソメ、ほうれん草を入れて軽く火を通す。

野菜ソース

グリルで焼いたチキンや魚に合わせると、さっぱりとした仕上がり

材料
- ホールトマト(缶)…200g
- セロリ(茎)…1本
- たまねぎ…1/2個
- にんにく…1かけ
- オリーブ油…大さじ1/2
- しょうゆ…大さじ1
- バルサミコ酢…大さじ1
- 乾燥バジル…少々
- こしょう…少々

作り方
1. ホールトマト、セロリ、たまねぎは1cm角に、にんにくはみじん切りにする。
2. にんにくは、中火でオリーブ油で炒め、香りが出たら、セロリとたまねぎを加える。
3. 火が通ったら、しょうゆ、バルサミコ酢を加えてひと煮立ちさせ、ホールトマトと乾燥バジル、こしょうを入れ、さらにひと煮立ちさせる。

サルサソース

ピリ辛ですがさっぱりなので、夏場の肉料理にぴったり

材料
- トマト…1個
- たまねぎ…1/4個
- A　レモン汁…小さじ1/2
-   　タバスコ…少々
-   　乾燥パセリ…少々
-   　塩…小さじ1/2

作り方
1. トマトは種を取り、粗みじんに切る。たまねぎはみじん切りにする。
2. トマトとたまねぎを、調味料Aでざっくり混ぜ合わせる。

裏メニュー

「定食を作る時間がない」。
「どうしても夜食が食べたい」。
そうでございますか。
実は裏メニューをご用意させていただいております。
ガツンと一皿でバランスのとれた丼物、
夜食にもうれしい低カロリースープはいかがでしょうか。

トマトたっぷりドライカレー

512kcal
塩分1.8g

ひき肉は意外と脂が多いので、このカレーは油を使わずに炒めます。
オリーブ油を使い、赤身肉で作ってもOK。
粗みじん切りにしたきのこを加えてもヘルシーです。

材料　2人分
ごはん…300g
豚ひき肉…160g
たまねぎ…1/3個
にんにく…少々
しょうが…少々
にんじん…4cm
カレー粉…小さじ3
小麦粉…小さじ1
赤ワイン…小さじ2
ホールトマト（缶）…140g
A　粉末コンソメ…小さじ1/2
　　ウスターソース…大さじ1/2
　　ケチャップ…大さじ1
ローリエ…1枚
ホールコーン（缶）…1/3カップ

作り方

1. たまねぎ、にんにく、しょうが、にんじんはみじん切りにする。
2. フライパンを中火で熱し、豚ひき肉と1を炒める。
3. 全体に火が通ったら、火を止め、カレー粉と小麦粉を加えてよく混ぜ、赤ワインを加えて再び中火で炒める。
4. つぶしたホールトマト、調味料A、ローリエを加えて中火～弱火でかき混ぜながら焦がさないように10分ほど煮る。
5. 器に盛って、コーンを散らす。

社食通信

全員完食。
コーンの色がきれい。
トマトがたっぷりで
とても美味しい。

dry curry | ドライカレー

ほうれん草のドライカレー

カロチンやビタミン、鉄分が豊富な本格派カレー。
カレー粉をしっかり炒めるのがコツ。

社食通信
ほうれん草が
シャキシャキで
美味しい!
もちろん食べ残しなし。

材料 2人分
- ごはん…300g
- 豚ひき肉…120g
- ほうれん草…1/2束
- たまねぎ…1/2個
- にんにく…少々
- しょうが…少々
- カレー粉…大さじ2
- A ホールトマト(缶)…160g
  - ローリエ…1枚
  - 粉末コンソメ…小さじ1/2
  - ケチャップ…小さじ4
  - 塩…少々
  - ガラムマサラ…少々
  - レーズン…少々
- カレールー…小さじ1/2

作り方
1. ほうれん草は1~2分ゆでてみじん切りにする。たまねぎ、にんにく、しょうがはみじん切りにする。
2. フライパンを中火で熱し、豚ひき肉、たまねぎ、にんにく、しょうがを炒める。
3. 火が通ったら、弱火にしてカレー粉を加え、香りが出るまで炒める。
4. Aとカレールーを入れ、焦がさないようにかき混ぜながら10分ほど煮、最後にほうれん草を加えてさっと煮る。

479 kcal
塩分 2.0 g

大豆のドライカレー

大豆に含まれるタンパク質が血管をしなやかにし、
余分な血中塩分も排出してくれます。

547 kcal
塩分 1.8 g

材料 2人分
- ごはん…300g
- 豚ひき肉…140g
- 大豆(水煮)…1カップ
- たまねぎ…1/2個
- ピーマン…2/3個
- にんじん…2cm
- にんにく…少々
- しょうが…少々
- カレー粉…大さじ1
- A 塩…少々
  - ウスターソース…大さじ1/2
  - ケチャップ…小さじ2
  - こしょう…少々
  - ナツメグ…少々
  - ローリエ…1枚
  - 粉末コンソメ…小さじ1/2

作り方
1. 大豆と野菜はすべてみじん切りにする。
2. フライパンを中火で熱し、豚ひき肉、にんにく、しょうが、たまねぎを入れて炒める。
3. にんじんとピーマンを加えて炒め、さらに大豆を加えて炒める。
4. カレー粉を加えよく炒め、調味料Aを入れて10分ほど、焦がさないように煮込む。

社食通信
大豆が苦手な男性も
きれいに食べてくれる。
大豆の味が
カレーをまろやかに。

夏野菜カレー

ゴーヤの大人のにがみとオクラのねばねば感が特徴。
5種類の野菜に加え、プルーンの自然な甘みがクセになります。
かみ応えたっぷりのカレーです。

550kcal
塩分 **2.4g**

材料　2人分

- ごはん…300g
- 豚ひき肉…120g
- たまねぎ…1/3個
- オクラ…2本
- なす…1/2本
- ゴーヤ…1/5本
- かぼちゃ…100g
- プルーン…2個
- にんにく…少々
- しょうが…少々
- ホールトマト（缶）…120g
- カレールー…36g
- ローリエ…1枚
- 水…120cc

作り方

1. たまねぎはくし形切りに。オクラはさっとゆで、斜めに切る。なすは小さめの乱切りに。ゴーヤは種を除いて薄くスライスし、さっとゆでる。かぼちゃは一口大に、プルーンは1/4に切る。にんにく、しょうがはみじん切りにする。
2. 中火の鍋に豚ひき肉を入れ、ぽろぽろになるまで炒め、しょうが、にんにくを加える。香りが出てきたらたまねぎ、なす、かぼちゃを加えて炒める。
3. 水、つぶしたホールトマト、ローリエ、プルーンを入れて中火で10〜15分煮る。
4. 全体に火が通ったら、カレールーを加えさらに煮込む。
5. 器に盛って、ゴーヤとオクラを飾る。

社食通信

ゴーヤはさっとゆでて
食感を残した。
苦味が美味しい。
野菜たっぷりでまんぷく感高し！

curry roux　｜　カレールー

鶏むね肉としめじのカレー

きのこは低カロリーで食感もバツグン。
かぼちゃやプルーンでビタミン、ミネラルもプラスしましょう。

社食通信
鶏むね肉でさっぱり。
むね肉もカレーに入れると
パサつかず美味しい。
全員完食。

材料　2人分
- ごはん…300g
- 鶏むね肉…140g
- かぼちゃ…60g
- たまねぎ…1/4個
- プルーン…2個
- しめじ…1/2パック
- いんげん…6本
- にんにく…1かけ
- しょうが…少々
- ホールトマト（缶）…120g
- ローリエ…1枚
- カレールー…40g
- 油…小さじ3/4
- 水…120cc

505kcal　塩分2.5g

作り方
1. 鶏むね肉、かぼちゃは一口大に、たまねぎはスライスする。プルーンは1/4に切り、しめじは小房に分ける。いんげんは1/3に切ってさっとゆでる。にんにくとしょうがはみじん切りにする。
2. 強火の鍋で油を熱し、にんにくとしょうがを炒める。たまねぎを加えて油が回ったら鶏むね肉を入れ、火が通るまで炒める。
3. プルーンとつぶしたホールトマト、ローリエ、水を入れて煮る。
4. かぼちゃ、しめじ、いんげんを入れて中火で10～15分ほど煮込み、カレールーを加えて煮る。

アボカドとチーズのカレー

アボカドを合わせるとバターを加えたようなコクが出ます。
カッテージチーズとアボカドで満足度も高い一皿。

材料　2人分
- ごはん…300g
- 鶏むね肉…120g
- たまねぎ…1/4個
- ブロッコリー…1/5株
- アボカド…1/2個
- にんにく…少々
- しょうが…少々
- ホールトマト（缶）…120g
- カッテージチーズ…大さじ4
- ローリエ…適宜
- カレールー…40g
- 油…小さじ1
- 水…120cc

544kcal　塩分2.7g

作り方
1. 鶏むね肉は一口大に、たまねぎはスライスし、ブロッコリーは小房に分け、アボカドは薄切りに。にんにく、しょうがはみじん切りにする。
2. 強火の鍋で油を熱し、しょうが、にんにくを入れ、香りが出たら鶏むね肉を加え、火が通るまで炒める。
3. たまねぎを加えしんなりするまで炒め、つぶしたホールトマト、ローリエ、水を加えて10分ほど煮込む。
4. ブロッコリーを加えて5分ほど煮たら、カレールーを加えてよく混ぜる。
5. 器に盛り付け、アボカドとカッテージチーズをのせる。

社食通信
アボカドを使うぶん
カッテージチーズでカロリーダウン。
アボカドのねっとり感が
ハマる美味しさ。

社食通信

食べ残しなし。
カシューナッツが香ばしい
アクセントに。スパイシーな味と
トマトのジューシーさが合う。

タコライス

レタスのシャキシャキ感と野菜たっぷりのフレッシュな一皿。
スパイシーな肉も食欲をそそります。

材料　2人分

- ごはん…300g
- 豚ひき肉…120g
- たまねぎ…1/2個
- にんにく…少々
- トマト…1/3個
- プロセスチーズ…40g
- レタス…3枚
- かいわれ大根…1/5パック
- カシューナッツ…2粒
- 油…小さじ1/4
- A　粉末コンソメ…小さじ1
　　粉末とうがらし…少々
　　オレガノ…少々
　　ナツメグ…少々
　　塩こしょう…少々
　　ホールトマト（缶）…30g

作り方

1. たまねぎとにんにくはみじん切りに、トマトとチーズはさいの目切りに、レタスはざく切りに、かいわれ大根は1/2に切る。カシューナッツは砕く。
2. 強火のフライパンで油を熱し、にんにくとたまねぎを炒め、豚ひき肉を加え炒める。調味料Aを加えて5分ほど炒め煮し、ソースを作る。
3. 器にごはんを盛り、レタス、ソース、トマト、チーズ、カシューナッツ、かいわれ大根の順で飾る。

549kcal　塩分1.8g

豆腐と青菜の辛味丼

385kcal　塩分2.2g

お肉を使わないヘルシーメニュー。
にんにく、しょうが、豆板醤を炒め香りを立たせるのがコツです。

材料　2人分

- ごはん…300g
- 木綿豆腐…2/3丁
- 小松菜…1/3束
- にんにく…少々
- しょうが…少々
- 長ねぎ…1/2本
- 豆板醤…小さじ1/2
- 油…小さじ1
- A　ケチャップ…大さじ1
　　しょうゆ…小さじ2
　　中華スープ…200cc
　　オイスターソース…小さじ1/3
- 水溶きかたくり粉…適宜

作り方

1. 木綿豆腐は水切りをし、一口大に切る。小松菜は1cm幅に切ってゆで、水気を絞る。長ねぎは斜め薄切りに、にんにくとしょうがはみじん切りにする。
2. 中火のフライパンで油を熱し、にんにく、しょうが、長ねぎ、豆板醤を入れ、香りが立ったら調味料Aを加える。
3. 煮立ったら、小松菜と木綿豆腐を加えて5分ほど煮て火を止める。
4. 水溶きかたくり粉を入れ、再度火にかけとろみをつける。
5. 丼にごはんを盛り、4をかける。

社食通信

丼ものは人気。
豆腐がメインだけど
辛みとボリュームで
まんぷく&満足。

rice bowl | 丼

431kcal
塩分1.9g

鶏の梅風味丼

梅としその香りがふんわり香る美味しい一品です。
鶏肉はていねいな火加減で仕上げるのがコツ。

材料　2人分
ごはん…300g
鶏もも肉…200g
レタス…3枚
大葉…2枚
たまねぎ…1/3個
A　梅肉…大1個
　　しょうゆ…小さじ2
　　みそ…大さじ1/2
　　砂糖…小さじ1
　　薄力粉…小さじ2
油…小さじ1

作り方
1. レタスは一口大にちぎり、大葉は千切り、たまねぎはスライスする。
2. 鶏もも肉を一口大に切り、調味料Aにつけこむ。
3. 強火の鍋で油を熱し、たまねぎをしんなりするまで炒めたら火を中火にし、鶏もも肉を加えて火が通るまで炒める。
4. 丼にごはん、レタス、3の具材を盛り、大葉を散らす。

社食通信
ぷりぷりで甘辛の鶏肉がレタスとごはんに合う。ものすごく美味しい。梅とみその相性がよかったかも。

社食通信
食べ残しなし。ただ、グリーンピースを残す方あり。色合いなので、きぬさやでもよいかも。

豆腐のカレー風味丼

豆腐はしっかり水切りすることで
水っぽくならず美味しく、食感も強まります。

462kcal
塩分1.3g

材料　2人分
ごはん…300g
鶏ひき肉…120g
木綿豆腐…1/2丁
干ししいたけ…2枚
にんじん…4cm
長ねぎ…1/3本
A　カレー粉…小さじ1
　　砂糖…小さじ1
　　しょうゆ…大さじ1
グリンピース（ゆで）…適宜
溶き卵…1/3個
油…小さじ1/2

作り方
1. 木綿豆腐はしっかり水切りをする。干ししいたけは水で戻して細切りに、にんじんは粗みじん切り、長ねぎは小口切りにする。
2. 調味料Aを鍋で煮立たせる。
3. 別鍋に油を入れて強火で熱し、鶏ひき肉を炒め、火が通ったら、しいたけ、にんじんを加える。さらに長ねぎを加える。
4. 3に木綿豆腐をくずしながら入れ、2の煮汁を加えて煮る。
5. 全体に火が通ったら溶き卵を流し入れ、さっとかき混ぜる。
6. 丼にごはん、5の具材を盛り、グリーンピースを飾る。

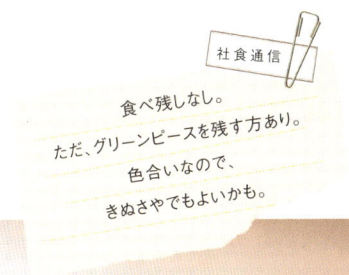

> 社食通信
>
> 食べ残しなし。
> キムチ入りでも意外と優しい味。
> 男性は汁まですべて飲み干していた。
> おいしい。

豚キムチうどん

豚肉とキムチの黄金コンビ。
発酵食品のキムチはビタミンが豊富で乳酸菌もたっぷりな食材。

材料　2人分
- ゆでうどん…250g×2玉
- 豚もも肉（薄切り）…140g
- 白菜キムチ…80g
- 長ねぎ…1/2本
- 万能ねぎ…2本
- ごぼう…1/3本
- コチュジャン…小さじ1
- 砂糖…小さじ1/2
- だし汁…400cc
- A　しょうゆ…小さじ2
- 　　みりん…小さじ1
- 　　酒…小さじ1
- ごま油…小さじ1
- いりごま（白）…小さじ2/3

作り方
1. キムチはざく切り、長ねぎは斜め切り、万能ねぎは小口切りにする。ごぼうは千切りにしてさっとゆで、アク抜きをする。
2. 細切りにした豚肉にコチュジャン、砂糖をもみこむ。
3. 鍋にだし汁と調味料Aを入れひと煮立ちさせる。
4. 強火のフライパンでごま油を熱し、豚肉を炒め、長ねぎ、ごぼう、キムチを加えさらに炒める。
5. 丼にゆでたうどん、4の具材を盛り、汁をかけ、万能ねぎとごまを散らす。

470kcal　塩分3.3g

> 社食通信
>
> ふわふわの卵が
> めんに絡んで美味しい。
> 野菜もたっぷり摂れて
> 寒い季節には◎。

ねぎたまきのこうどん

豆腐と卵で胃に優しいうどん。
とろみをつけたことで、肉類がなくても満足感大！

材料　2人分
- ゆでうどん…250g×2玉
- えのき茸…1パック
- 木綿豆腐…1/5丁
- 万能ねぎ…4本
- 長ねぎ…1/2本
- 干ししいたけ…1枚
- だし汁…400cc
- 塩…小さじ2/3
- しょうゆ…大さじ1/2
- 水溶きかたくり粉…適宜
- 溶き卵…1個
- ごま油…小さじ3/4

作り方
1. えのき茸は半分に切る。木綿豆腐は水切りして一口大に切る。干ししいたけは水で戻して薄く切る。
2. 万能ねぎは3本を3cm幅、残り1本を小口切りにする。長ねぎは縦半分に切ってから3cm長さに切る。
3. 鍋にだし汁を沸かし、塩としょうゆを加え、いったん火を止め、水溶きかたくり粉を入れる。再度火にかけ、とろみをつける。
4. 溶き卵を回し入れ、3cm幅の万能ねぎを入れる。
5. 別鍋でごま油を中火で熱し、えのき茸、木綿豆腐、長ねぎ、干ししいたけを炒める。
6. 丼にゆでたうどんと5を盛り、4をかけ、小口切りの万能ねぎを散らす。

504kcal　塩分3.0g

noodle | 麺

具だくさん冷麺

506kcal　塩分4.2g

まんぷく感を得られる具がたっぷりの冷麺です。
豆もやしを使うことで、食感がアップします。

材料　2人分

- 冷麺…230g×2玉
- 豚もも肉(薄切り)…100g
- A　しょうゆ…小さじ1
- 　　砂糖…小さじ1
- 豆もやし…1/6袋
- ゆで卵…1個
- 白菜キムチ…40g
- トマト…1/4個
- きゅうり…1/3本
- 冷麺スープ＋水…350cc

作り方

1. 豚もも肉は細切りにする。豆もやしはさっとゆでる。ゆで卵は半分に切る。キムチはざく切り、トマトはくし形に、きゅうりは縦半分に切ってから斜め薄切りにする。
2. 鍋に調味料Aを入れ、中火で豚もも肉を炒め煮する。
3. 冷麺はゆでて氷水で冷やす。器に冷麺と具材をすべて盛り付け、冷麺スープをかける。

> 社食通信
> 夏の定番人気メニュー。
> 全員完食。
> 食欲がなくても
> つるつると食べられる。

野菜たっぷりうどん

525kcal　塩分3.1g

とにかく野菜をたっぷり摂りたいときに。
野菜は、油で炒めることでまんぷく感を増します。

材料　2人分

- ゆでうどん…250g×2玉
- 豚もも肉(薄切り)…120g
- キャベツ…1枚
- たけのこ(水煮)…40g
- にんじん…4cm
- えのき茸…1/5パック
- しめじ…1/5パック
- 万能ねぎ…2本
- きぬさや…6枚
- しょうゆ…小さじ2/3
- 中華スープ…360cc
- A　酒…小さじ2
- 　　塩…小さじ1/3
- 　　しょうゆ…大さじ1/2
- 　　こしょう…少々
- 油…小さじ3/4

作り方

1. 豚肉、たけのこ、にんじんは短冊切りに、キャベツはざく切りに、万能ねぎは小口切りにする。えのき茸は半分に切ってほぐす。しめじはほぐす。きぬさやはさっとゆでる。
2. 強火の鍋で油を熱し、万能ねぎときぬさや以外の野菜を炒め、しょうゆを加える。
3. 別鍋で中華スープを沸かし、調味料Aを入れて煮立てる。
4. 器にゆでたうどん、2の具材を盛り、汁をそそぎ、万能ねぎときぬさやを飾る。

> 社食通信
> 満足感大。
> 思ったよりもしっかりした味つけ。
> 炒め野菜とつゆと
> うどんがからんで絶妙。

53kcal
塩分0.8g

ミルクポタージュ

生クリームは入れず、牛乳を使うことでさっぱり仕上げました。朝食にもどうぞ。

材料　2人分
- たまねぎ…1/5個
- じゃがいも…1/5個
- バター…小さじ1/2
- コンソメスープ…300cc
- ローリエ…1枚
- 牛乳…80cc
- こしょう…少々
- 乾燥パセリ…適宜

作り方
1. たまねぎとじゃがいもは薄切りにする。
2. 鍋にバターを入れて熱し、たまねぎとじゃがいもを炒める。たまねぎが透き通ってきたらコンソメスープとローリエを加える。
3. 具材がやわらかくなったらローリエを取りのぞいてフードプロセッサーにかける。
4. 鍋に戻して牛乳を加えて温め、こしょうで味をととのえる。器にそそぎ、パセリをふる。

社食通信
とろりとしたスープが
美味しい。
おなかにも優しい。
冷たくしてもいい。

カレークリームスープ

108kcal
塩分1.0g

ココナッツミルクのコクと甘みで、年齢を問わず好まれるカレー味のクリーミィスープです。

材料　2人分
- たまねぎ…1/4個
- ピーマン…1個
- にんじん…3cm
- ホールコーン(缶)…20g
- 中華スープ…140cc
- ローリエ…1枚
- ココナッツミルク…100cc
- カレー粉…小さじ1/3
- 塩こしょう…少々

作り方
1. たまねぎ、ピーマンは薄切りに、にんじんは短冊切りにする。コーンは水を切る。
2. 鍋に中華スープを沸かし、たまねぎ、にんじん、ピーマン、コーン、ローリエを入れて煮る。
3. カレー粉、ココナッツミルク、塩こしょうで味をととのえる。

社食通信
見た目と違って
甘くて優しい味。
ボリュームもたっぷりで
多めの配膳でも食べ残しなし。

soup | スープ

ベジタブルチャウダー

127kcal
塩分1.2g

ミックスベジタブルは簡単に緑黄色野菜が摂れる便利な食材です。
ベーコンでコクを出すのがポイント。

材料　2人分
- シーフードミックス…40g
- ベーコン…1/2枚
- たまねぎ…1/5個
- キャベツ…1枚
- ミックスベジタブル…40g
- バター…小さじ3/4
- 小麦粉…小さじ1
- 低脂肪牛乳…200cc
- 粉末コンソメ…小さじ1/4
- 塩こしょう…少々

作り方
1. たまねぎ、キャベツ、ベーコンは1cm角に切る。
2. 鍋にバターを入れて中火で熱し、ベーコンを炒める。たまねぎを加えて透明になるまで炒め、キャベツとミックスベジタブルとシーフードミックスを加える。
3. 小麦粉を入れて炒め、低脂肪牛乳とコンソメを加えて中火で3〜5分煮る。
4. 塩こしょうで味をととのえる。

社食通信
低脂肪乳を使うことで
カロリーダウン。
シーフードミックスの
だしがとても美味しい。

ミネストローネ風スープ

68kcal
塩分1.2g

とっても簡単で素早くできる一品です。
パパッと仕上げたいなら、具材は一度に煮込んでもOK。

材料　2人分
- ベーコン…1枚
- アスパラガス…1本
- ホールトマト(缶)…40g
- ホールコーン(缶)…20g
- ローリエ…1枚
- コンソメスープ…260cc
- バター…小さじ1/2
- 塩こしょう…少々

作り方
1. ベーコン、アスパラガスはすべて1cm角に切る。ホールトマトはつぶしておく。
2. 鍋にコンソメスープ、ローリエ、1を入れ、具材がやわらかくなるまで煮る。
3. コーンとバターを加え、塩こしょうで味をととのえる。

社食通信
とても美味。
スープたっぷりで
洋風のみそ汁のような感覚。
社食ではごはんだけどパンにも合いそう!

93

食材使い回しさくいん

日々の料理で余ってしまう食材を有効に使うためのさくいんです。

🥬 野菜

アスパラガス
- アスパラと豚肉のオイスターソース炒め　35 メ
- アスパラとエリンギのバターしょうゆ炒め　47 サ1

えのき茸
- きのこサラダ　23 サ1
- ほうれん草とえのき茸の明太子和え　29 サ2
- 厚揚げのピリ辛きのこあんかけ　69 サ1

エリンギ
- アスパラとエリンギのバターしょうゆ炒め　47 サ1

オクラ
- モロヘイヤサラダ　49 サ2
- オクラとなすの肉みそ炒め　57 メ
- たことオクラの酢みそ和え　61 サ1
- なめこのマスタード和え　67 サ2

かぼちゃ
- ひじきとかぼちゃの焼きコロッケ　41 メ

カリフラワー
- カリフラワーと卵のサラダ　25 サ1
- アスパラと豚肉のオイスターソース炒め　35 メ
- ブロッコリーとカリフラワーのサラダ　57 サ1

キャベツ
- 韓国風五色炒め　35 サ1
- 千切り野菜のサラダ　39 サ1
- キャベツのトマト煮　51 サ1

きゅうり
- カリフラワーと卵のサラダ　25 サ1
- 白菜のサラダ　27 サ1
- きゅうりとしらす干しの酢の物　37 サ2
- 千切り野菜のサラダ　39 サ1
- ヤングコーンのサラダ　41 サ1
- きゅうりの和え物　43 サ1
- かいわれ大根のもずく和え　47 サ2
- 切干大根ときゅうりの和え物　51 サ2
- ごまよごし　65 サ2
- シンプルサラダ　71 サ1
- きゅうりの浅漬け　75 サ2

ごぼう
- いかのみそだれ炒め　53 メ
- ちくわとごぼうの炒め煮　69 サ1
- さつま揚げとごぼうの煮物　71 サ1
- ごぼうとにんじんのサラダ　77 サ1

小松菜
- 小松菜の中華炒め　27 サ2
- しらたきと小松菜の和え物　33 サ2
- 小松菜の煮びたし　39 サ2
- 小松菜とにんじんのアーモンド炒め　53 サ1
- 小松菜の鮭和え　59 サ2

さつまいも
- さつまいもとりんごの重ね煮　35 サ2

里いも
- 里いものりまぶし　21 サ2
- ひじきの煮物　37 サ1

だいこん
- だいこんとツナの炒め物　55 サ1
- だいこんとほたての煮物　67 サ1
- だいこんの甘酢和え　69 サ1

たけのこ
- 鶏肉とピーナッツの炒め物　29 メ
- オクラとなすの肉みそ炒め　57 メ
- 銀杏とたけのこの煮物　65 サ1

たまねぎ
- ラタトゥイユ　59 サ1
- オニオンソース　82
- 野菜ソース　82
- サルサソース　82

ちんげん菜
- ごぼうとちんげん菜の胡麻和え　45 サ1
- ちんげん菜と厚揚げの中華和え　81 サ2

トマト
- ブロッコリーとカリフラワーのサラダ　57 サ1
- サルサソース　82

なす
- オクラとなすの肉みそ炒め　57 メ
- ラタトゥイユ　59 サ1
- なすと里いもの煮物　63 サ1

なめこ
- もやしのマスタード和え　31 サ2
- 鶏肉のなめこおろし煮　59 メ
- なめこのマスタード和え　67 サ2

にんじん
- だいこんの甘酢和え　69 サ2
- ごぼうとにんじんのサラダ　77 サ1

白菜
- 白菜とあさりのスープ煮　25 サ1
- 白菜のサラダ　27 サ1
- 白菜の浅漬け　79 サ2

ピーマン
- いかのみそだれ炒め　53 メ

ブロッコリー
- ブロッコリーとカリフラワーのサラダ　57 サ1

ほうれん草
- ほうれん草ともやしの和え物　21 サ1
- ほうれん草とえのき茸の明太子和え　29 サ2
- ほうれん草のおひたし　55 サ2
- ほうれん草ソース　82

ホールトマト
- ひじきのトマト煮　33 サ1
- キャベツのトマト煮　51 サ1
- ラタトゥイユ　59 サ1
- 野菜ソース　82

もやし
- ほうれん草ともやしの和え物　21 サ1
- もやしのマスタード和え　31 サ2

ヤングコーン
- ヤングコーンのサラダ　41 サ1
- ミックス野菜の炒め物　75 サ1
- しらたきのビーフン風炒め　81 サ1

🍖 肉・魚

いか
- いかのみそだれ炒め　53 メ

鮭
- 鮭の野菜ソース　37 メ

ささみ
- ササミのピカタ　23 メ
- ささみの衣揚げレモンあん　39 メ
- ささみの照り焼きオニオンソース　67 メ
- ささみのほうれん草ソース　77

さば
- さばのみそ煮　75 メ

さわら
- さわらの梅蒸し　25 メ
- さわらの竜田揚げサラダ風　31 メ
- さわらのカッテージチーズ焼き　81 メ

さんま
- さんまの韓国煮　73 メ

鶏ひき肉
- 豆腐つくねバーグ　71 メ
- ミックス野菜の炒め物　75 サ1
- 豆腐のカレー風味丼　89 単

鶏もも肉
- チキンのオリーブオイル焼き　27 メ

鶏肉とピーナッツの炒め物	29	メ	野菜たっぷりうどん	91	単	中華風五目煮	49	メ
鶏肉のピーナッツバター焼き	33	メ	**豚ロース肉**			大豆のドライカレー	85	単
チキンのごまサルサソース	43	メ	豚肉のビネガー風味	45	メ	**木綿豆腐**		
鶏肉とレーズンの赤ワイン煮	47	メ	豚肉の南部焼き	51	メ	豆腐のおかか炒め	31	サ1
バーベキューチキン	55	メ	豚肉のコンソメスープ	79	汁	豆腐つくねバーグ	71	メ
鶏肉のなめこおろし煮	59	メ	**ぶり**			豆腐と青菜の辛味丼	88	単
ピーナッツの酢鶏	61	メ	ぶりのにんにくしょうゆ焼き	63	メ	ねぎたまきのこうどん	90	単
鶏肉のしそ焼き	65	メ	**ベーコン**			豆腐のカレー風味丼	89	単
タンドリーチキン	79	メ	きのこサラダ	23	サ1	**焼き豆腐**		
鶏の梅風味丼	89	単	キャベツのトマト煮	51	サ1	さんまの韓国煮	73	メ
鶏むね肉			ラタトゥイユ	59	サ1	**こんにゃく**		
アボカドとチーズのカレーライス	87	単	小松菜とベーコンのスープ	67	汁	こんにゃくとにんじんの白和え	43	サ2
鶏むね肉としめじのカレー	87	単	ベジタブルチャウダー	93	単	こんにゃくと油揚げの煮物	45	サ2
豚ひき肉			ミネストローネ風スープ	93	単	こんにゃくとおかひじきの煮物	61	サ2
根菜とひき肉のしぐれ煮	21	メ	**🌱 大豆・豆腐・その他**			ちくわとごぼうの炒め煮	69	サ2
小松菜の中華炒め	27	サ1	**厚揚げ**			**しらたき**		
ひじきとかぼちゃの焼きコロッケ	41	メ	厚揚げの千草焼き	29	サ1	しらたきと小松菜の和え物	33	サ2
トマトたっぷりドライカレー	84	単	中華風五目煮	49	メ	しらたきのビーフン風炒め	81	サ1
ほうれん草のドライカレー	85	単	銀杏とたけのこの煮物	65	サ1			
大豆のドライカレー	85	単	厚揚げのピリ辛きのこあんかけ	69	サ1			
夏野菜カレー	86	単	ちんげん菜と厚揚げの中華和え	81	サ1			
タコライス	88	単	**絹ごし豆腐**					
豚もも肉			豆腐と梅干しの和え物	53	サ2			
アスパラと豚肉のオイスターソース炒め	35	メ	**高野豆腐**					
オクラとなすの肉みそ炒め	57	メ	高野豆腐のスープ	41	汁			
豚肉となめこのスープ	69	汁	高野豆腐とこんにゃくの煮物	79	サ1			
豚キムチウドン	90	単	**大豆水煮**					
具だくさん冷麺	91	単	ひじきのトマト煮	33	サ1			

使い回しの豆知識
卵は溶き卵にすれば、冷凍保存が可能です。
自然解凍させてから使います。

※メはメイン、サ1はサイド1、サ2はサイド2、
汁は汁物、単は単品メニューです。

🌱 食材分量目安一覧

食材	分量目安		カロリー(100g)	食材	分量目安		カロリー(100g)
アスパラガス	1本	20g	22kcal	だいこん	1cm	30g	18kcal
厚揚げ	1枚	200g	150kcal	ちんげん菜	1株	100g	9kcal
油揚げ	1枚	30g	127kcal	木綿豆腐	1丁	300g	72kcal
えのき茸	1パック	100g	22kcal	絹ごし豆腐	1丁	300g	56kcal
エリンギ	1パック	100g	24kcal	長いも	1cm	10g	65kcal
オクラ	1本	10g	30kcal	長ねぎ	5cm	10g	28kcal
かぼちゃ	1個	2kg	91kcal	なす	1本	80g	22kcal
カリフラワー	1株	300g	27kcal	なめこ	1パック	100g	15kcal
キャベツ	1枚	50g	23kcal	にんじん	1cm	10g	37kcal
きゅうり	1本	100g	14kcal	にんにく	1かけ	5g	134kcal
ごぼう	1本	200g	65kcal	はくさい	1枚	100g	13kcal
小松菜	1束	300g	14kcal	万能ねぎ	1本	5g	27kcal
こんにゃく	1枚	250g	5kcal	ピーマン	1個	30g	22kcal
里いも	1個	150g	58kcal	ブロッコリー	1株	300g	33kcal
しめじ	1パック	100g	18kcal	ほうれん草	1束	200g	20kcal
じゃがいも	1個	150g	76kcal	もやし	1袋	250g	15kcal
しょうが	1かけ	15g	30kcal	ヤングコーン	1本	10g	29kcal
セロリ	1本	90g	15kcal	レタス	1枚	20g	12kcal

※食材の分量は目安です。この本では、家庭で使いやすくするため、なるべく個数や長さで分量を紹介しています。
　カロリー計算はこの表に基づいたグラム数での計算を行っています。(カロリーは5訂食品成分表より可食部100g)

今どきの体重計

ただ体重をはかるだけでは、健康をはかることはできません。簡単に「肥満度」がわかる数値としてはＢＭＩ（体格指数）というものがあります。

$$体重 \div 身長(m)^2 = ＢＭＩ値$$

標準値＝22

18.5未満＝痩せ
18.5～25未満＝標準
25～30未満＝肥満
30以上＝高度肥満

乗るだけで計測できる「乗るピタ機能」付き**体組成計**。(BC-312／全2色)

1日の総消費カロリーが計測できる活動量計「**カロリズムレディ**」。(AM131／全3色)

ごはんのカロリーもはかれる**デジタルクッキングスケール**。0.5g単位。(KD-195／ホワイト)

クリーム部分を回すだけの**ダイヤルタイマー**。ストップウォッチ付。(TD397／全3色)

体脂肪計タニタの社員食堂
500kcalのまんぷく定食

2010年2月5日　第1刷発行
2012年12月10日　第84刷発行

著者　　株式会社タニタ
発行者　佐藤　靖
発行所　大和書房
　　　　東京都文京区関口1-33-4
　　　　〒112-0014
　　　　電話　03-3203-4511

ブックデザイン　草野リカ(alon.)
写真　　　　　　野川かさね
スタイリング　　ミヤマカオリ
図版　　　　　　朝日メディアインターナショナル
文・構成　　　　里見有美
校正　　　　　　メイ
印刷所　　　　　歩プロセス
製本所　　　　　ナショナル製本
企画編集　　　　大和書房(長谷川恵子)

本の内容に関するお問い合わせは03-3203-4511(大和書房)までお願いします。

© 2010 TANITA.co Printed in Japan
ISBN978-4-479-92025-0
乱丁本、落丁本はお取り替えいたします。
http://www.daiwashobo.co.jp

著者プロフィール

株式会社タニタ

1944年1月設立。
体組成計、体内脂肪計、脂肪計付きヘルスメーター、ヘルスメーター、クッキングスケール、歩数計、塩分計、血圧計、脈拍計、体温計などの健康計測機器をてがける。現在、体脂肪計はシェアナンバー1。また、社会貢献活動として、「肥満も飢餓もない世の中」の実現のために肥満の解消、飢餓救済など適正体重維持・増進活動の一環として、『タニタ健康体重基金』、健康づくりに貢献した活動の中から、活動推進団体を選び、年1回表彰する『タニタ健康大賞』、肥満の人々が減量した分だけ、飢餓に苦しむ人々に還元される『世界から肥満と飢餓をなくそうプロジェクト』という寄付活動を行っている。
「タニタ食堂」「タニタ社員食堂」は、株式会社タニタの登録商標です。

荻野菜々子

1982年、東京生まれ。
株式会社タニタ総務部所属。
社員食堂担当。栄養士。
ドトール、マキシム・ド・パリを経て、2005年、タニタに入社。
日々、社食を切り盛りしている。